D0755818

# les
# passeuses

**Maquette de la couverture:** Jacques Léveillé.

**Photo de la couverture:** Kèro

ISBN 0-7761-0058-0

© Copyright Ottawa 1976 par les Éditions Leméac Inc.
Dépôt légal — Bibliothèque nationale du Québec
4e trimestre 1976

# les passeuses

pierre morency

THÉÂTRE/LEMÉAC

*Un langage qui ne veut pas mourir*

*Le théâtre est pour le poète un terrain de prédilection. Pierre Morency a écrit* Les Passeuses *à même la vie des mots. Un premier personnage est arrivé sur scène: Castor, ancien creuseur de puits, au langage riche et coloré. Il a été suivi de Pica, son contraire, en quête de soleil avec la peur dans la poitrine et le juron à la bouche. Il ne manquait plus que Zime, le proverbial, sage diplômé «à l'université de la vie».*

*Dans leur rêve commun, ces trois vieux qui résident au foyer du Soir Vert s'inventent une mine d'or: de quoi nourrir leur désir de durer. Ils pourront boire alors «à la richesse qui nous donne l'amour», lance Castor.*

L'amour de la vie, il est, devant eux, personnifié par les trois femmes qui s'occupent de leurs vieux jours: Blanche, Fine et surtout Gagouette, ces passeuses de veufs qui habitent «le lieu étrange de (leurs) désirs les plus secrets, les plus inavoués».

Avant que le cinéma québécois ne s'empare du thème de la vieillesse, avant que la télévision et même la dernière campagne électorale n'exploitent les vieux, Pierre Morency avait écrit Les Passeuses, en décembre 1974. Mais pour le poète, ici, la vieillesse n'est qu'un voyage et la mort est présentée comme une vie, un commencement.

Les trois ratoureux qu'accompagnent les passeuses veulent tromper la mort. Ils ne donnent pas prise au taxidermiste Camard qui vient les visiter. Ils lui préfèrent Gagouette et le strip-tease de Fine. Ils se lancent plutôt dans une danse joyeuse, au bout de leur instinct, comme le ferait Zorba. Cette danse pourrait bien être le talencourt, offerte par le violoneux, au bout de la soirée traditionnelle québécoise, «pour le plus grand plaisir des vieux».

Puis, quand finalement les trois personnages disparaissent dans le coucher du soleil, au bout de la plage blanche, la mer de leur passage dans La Chose la plus Douce est l'eau d'un nouveau baptême, d'une autre vie, d'un recommencement. Et Castor peut inviter Pica: «Viens. On va aller se creuser une mine qui nous mènera peut-être dans la vraie vie».

*Ce voyage étrange et fantaisiste de Castor et compagnie avait commencé dans un avion en route vers les Îles Vierges. Pour l'auteur, cette image n'est pas celle de l'oiseau ni de la mort. Chez le poète Morency, l'avion a toujours représenté la femme et la naissance. Dès le premier poème de son recueil* Au nord constamment de l'amour, *Morency évoque sa naissance comme celle d'un «homme-bombe»:*

Je crois que tout a commencé le jour où je reposais dans le ventre d'un avion. Je n'étais pas un enfant, j'étais une bombe.

*(Et le poète ne savait pas encore que les Américains songent maintenant à construire un avion porte-avions qu'ils nomment d'avance* La Mamma.)

*Cette pièce est bien celle d'un poète:*

«Il y a la présence des poèmes que je fais, me dit Morency. Ce n'est pas un événement extérieur qui l'a amenée. Quand je me suis mis à ma table de travail, je suis parti de rien. Ce qui est remonté de moi ressemble à la poésie qui jaillit du puits. Cette fois, ce n'était pas des images qui naissaient, comme dans le poème, mais des personnages qui parlaient. Avec Castor, porteur d'un langage nourri par la réalité québécoise, c'est mon grand-père, c'est mon père, tous les deux creuseurs de puits, qui ont rejoint la réalité du puits de la poésie.»

11

*Ici, on ne peut s'empêcher de penser au vers d'un poème récent de Pierre Morency, intitulé* La chambre du faiseur, *poème prospecteur du rôle du poète :*

il fouine dans les trous que vous faites en
[parlant

*Le poète est aussi un creuseur. Son langage investit la durée de l'homme. Comme, pour Castor, la parole est une des dimensions importantes de son existence et l'or, le symbole de la longévité.*

Les Passeuses, *c'est le théâtre d'un langage qui ne veut pas mourir. Castor a de la jarnigoine. Zime a des proverbes. Pica, lui, toujours en train de mourir, n'a que des jurons à lancer. Dans cette pièce, qui se passe à la limite de la réalité et de la poésie, le langage est lié à la vie : à la naissance, à la longévité et à la possibilité de ne pas mourir. Avec Castor, le poète veut «trésoriser» une part de la richesse de la langue québécoise. La charge poétique de l'imagerie — cette magie de la parole — et la force de l'humour — cette expression vivante de la tendresse — donnent aux personnages l'assurance de leur vitalité.*

Jean Royer

*Île d'Orléans,* novembre 1976

Pierre MORENCY, né à Lauzon (Lévis) le 8 mai 1942, a fait ses études «classiques» au collège de Lévis avant de terminer, en 1966, à l'Université Laval une licence ès lettres. Il a enseigné la littérature quelques années et, en 1967, il a fait paraître aux Éditions de l'Arc son premier recueil, *Poèmes de la froide merveille de vivre* (prix du Maurier 1968), suivi de: *Poèmes de la vie déliée* (1968), *Au Nord constamment de l'amour* (1970), *Lieu de naissance* (l'Hexagone, 1973) et *Temps des oiseaux* (1975) en collaboration avec le peintre Paul Lacroix.

Depuis 1967, il a écrit pour la radio de Radio-Canada plusieurs séries d'émissions et quelques dramatiques qui furent toutes réalisées à Québec par Michel Gariépy.

À l'automne 1975, il reçut le Prix court métrage de la Communauté radiophonique des programmes de langue française pour sa pièce *Naaaiiiaaah*. Ses pièces pour les enfants, *Tournebire et le malin Frigo, Marlot dans les merveilles* (paru chez Leméac en 1975) et *Les écoles du bon Bazou* ont été jouées depuis 1968 en tournées à travers le Canada. Il a adapté avec Paul Hébert *Charbonneau et le chef* de J. T. McDonough (Leméac 1974).

Il a donné des récitals de poésie partout au Québec, a participé aux plus célèbres événements poétiques de ces dernières années, dont la fameuse nuit de la poésie (1970), et on l'a vu animer une soirée poétique à Paris, en compagnie de l'écrivain Jean Rousselot. Aux Rencontres poétiques de Rodez (France), en mai 1976, on lui décerne le prix Claude Fernet pour l'ensemble de ses poèmes. Il vient de fonder à Québec, avec Claude Fleury, Jean-Pierre Guay et Jean Royer, *Estuaire,* la revue de poésie de tous les Québécois.

Entre ses voyages, il réside à Québec.

# LES PASSEUSES

## PERSONNAGES

CASTOR. Creuseur de puits retraité qui porte hautement et en couleurs ses 85 ans.

ZIME. Environ 70 ans. Menuisier retraité. Un sage.

PICA. Plus petit et plus jeune que ses compagnons. Petit commerçant à la retraite.

MONICA. Surnommée « Gagouette ». Elle a 19 ans.

BLANCHE CARON. Directrice du « Soir Vert. » À 40 ans, elle est encore très belle.

FINE MARCOUX. Une animatrice sociale pétillante.

BÂTON. Fils de Castor.

CAMARD. Il apparaît sous la forme d'un taxidermiste. C'est aussi la Mort.

**PREMIÈRE PARTIE**

*Tortola*

## PREMIER TABLEAU

*Le décor est réduit à quelques éléments : une rangée de six fauteuils d'avion séparés par une allée centrale. Derrière, un rideau. Près du hublot de gauche, Pica est profondément endormi. Gagouette regarde par celui de droite. Blanche et Fine sont assises côte à côte. Cette dernière tient une feuille dans sa main.*

FINE — Où est ma pauvre tête ? Ce testament est inutile.

BLANCHE — Ah, vous aussi, Fine, vous avez eu cette prévoyance !

FINE — Je n'ai pas de famille et je n'ai d'amies que vous deux. Et comment voulez-vous que je vous lègue mes biens si vous êtes mes compagnes de voyage ? Enfin ! Je vous le lis quand même, ne serait-ce que pour vous montrer l'intérêt que je porte à votre œuvre exceptionnelle et nécessaire, Blanche.

GAGOUETTE — Vous me faites peur, vous, avec vos testaments!

BLANCHE — À 19 ans, on ne sait pas encore que ce sont les meilleures garanties contre les accidents.

FINE — Je lis. La soussignée se nomme Fine Marcoux, elle a 33 ans et elle se déclare belle de corps et saine d'esprit. Advenant la disparition de l'avion, ne cherchez plus ma personne physique: elle est revenue dans la mer.

BLANCHE — Et moi qui pensais, chère Fine, que vous étiez au fond une femme sérieuse...

FINE — Et moi, je continue à espérer, Blanche, qu'un de ces jours vous laisserez s'exprimer la fantaisiste qui est en vous. (*Elle continue sa lecture.*) Ne pensez plus à mon âme; elle se berce dans les vagues jusqu'à la fin des temps.

GAGOUETTE — Je passerais bien ma vie dans cette mer-là moi aussi.

FINE, *lisant* — Dans mon compte de banque, on trouvera une petite somme que j'ai honnêtement gagnée à pratiquer mon merveilleux métier d'animatrice sociale spécialisée dans le troisième âge masculin. Cette somme, ainsi que mon horloge grand-père, seront remises à Madame Blanche Caron, mon amie, directrice-fondatrice du Soir Vert et serviront à décorer les murs de son institution, à mon avis un peu trop nus. (*Gagouette étouffe un petit rire.*)

BLANCHE — Voyons, Fine, vous devriez comprendre que dans cette affaire j'ai voulu mettre l'accent sur l'aspect médical. Je suis infirmière de profession et c'est ce côté de ma personne que mes vieillards apprécient le plus, j'en suis sûre. Quand j'ai soigné mon père pendant sa longue maladie, il a été très sécurisé par l'aménagement en clinique que j'avais apporté à sa maison.

FINE — Vos pensionnaires ne sont pas tous malades, Blanche. (*Elle jette un œil sur Pica.*) Il y a beaucoup de santé au Soir Vert. Je connais le troisième âge, moi aussi. J'ai été élevée par un beau grison de grand-père qui m'en a beaucoup appris sur la vigueur du sentiment. (*Elle revient à son texte.*) Je lègue ma garde-robe, mes livres et mes cahiers de recherches sur la psychologie amoureuse du septuagénaire à Mlle Monica Bonin, dite Gagouette, qui, encore à l'aube de sa carrière, manifeste de remarquables talents.

GAGOUETTE — Mon dieu! C'est trop gentil, Mlle Fine.

FINE, *lisant* — Je lègue ma collection de monnaies anciennes et mes vieux meubles au Musée de l'Homme de Québec. Je sais qu'il n'existe pas, mais je désire que mon humble legs constitue l'amorce de sa création.

Je lègue à mes congénères cette petite phrase qui résume sept ans de pratique sociale: «Notre monde est à l'image du sort que nous faisons aux vieux».

Et puis, enfin, à tous ceux qui un jour enrichiront les rangs de l'âge d'or (excusez le jeu de mots), je lègue mon plus cordial bonjour. Et je signe à la main: Fine Marcoux, animatrice sociale.

Et maintenant, avion, tu peux plonger; je suis en paix avec mes héritiers.

VOIX DE FEMME, *haut-parleur* — Mesdames et messieurs, le commandant Winter va vous dire quelques mots.

COMMANDANT, *haut-parleur, il casse lourdement son français.* — Mesdames, messieurs, l'appareil vient de commencer une descente pour l'atterrissage. Nous volons maintenant la eastern coast de Porto-Rico, qui appartient aux United States. Dans une demi-heure, nous nous poserons à Road Town dans les Virgin Islands. Au sol, la température est 30 degrés Celcius. Bon voyage de la fin... bon fin voyage... damned french... good trip !

GAGOUETTE, *regardant par le hublot, émerveillée* — On voit des milliers de petits bateaux blancs sur la mer...

BLANCHE, *sans regarder* — Ce sont les vagues, Monica.

FINE — Ce sont les moutons de la mer.

GAGOUETTE — Venez voir comme c'est beau. (*se retournant.*) Où sont donc passés M. Castor et M. Zime ?

BLANCHE — Ils sont allés visiter la classe « touristes ».

FINE — Il y a de l'hôtesse dans l'air !

BLANCHE, *indiquant Pica* — M. Paquette, lui, est toujours sous l'effet de son médicament.

GAGOUETTE — Pauvre M. Pica ! Il n'aura aucun souvenir de son premier voyage en avion. On aurait pu tout de même lui laisser sa connaissance.

BLANCHE — Monica, il faut que tu saches que nous n'allons pas dans les Îles Vierges en vacances.

FINE, *avec un petit sourire* — Nous y allons en mission.

BLANCHE — Une mission de la plus haute importance humanitaire, qui engage tout le sérieux de notre profession. J'exige de toi le même dévouement chaleureux et la même prudence que ceux que tu dois témoigner au Soir Vert. Tu es une jeune fille, Monica, mais les circonstances commandent que tu te conduises dorénavant comme une jeune dame.

GAGOUETTE — Je ferai comme vous désirez.

BLANCHE — Notre métier ne tolère aucun laisser-aller, aucun écart de conduite. Dans les lieux que nous serons amenées à fréquenter il ne manquera pas de messieurs très gentils, extérieurs à notre groupe, qui voudront t'offrir toutes sortes de... friandises...

FINE — Très mauvais pour les dents.

BLANCHE, *cherchant derrière* — Voyez-vous nos compagnons?

FINE, *regardant par la séparation du rideau* — Je vous l'avais dit: il y a de l'hôtesse dans l'air!

BLANCHE — Tu dois savoir, Monica, que tu es jolie et que cette naïve et fraîche beauté, le Soir Vert en a besoin.

FINE — C'est le meilleur sérum contre le vieillissement des cœurs. Je me souviens avoir lu sur une pierre tombale à Rome: «Ici repose Claudius Hermippus/ Qui vécut 155 ans/ De l'haleine des jeunes filles». Passons-nous ça entre les dents!

BLANCHE — Voici mes dernières recommandations. M. Paquette est très malade. Mlle Fine sait ce que cela veut dire et toi, tu le sauras bientôt. Durant notre séjour à Tortola, c'est moi qui me chargerai de lui apporter les soins que requiert son état. Toi, tu accompagneras M. Morin.

GAGOUETTE — Que veut dire: «accompagner»?

FINE — Faire en sorte qu'il n'aille pas chercher de compagnie ailleurs...

BLANCHE — ...et que son séjour soit le moment le plus agréable de sa vie. En principe, ces voyages sont réservés à nos pensionnaires malades. Celui-ci est une exception pour M. Morin et M. Bergeron. Nous ne pouvions pas prévoir que nos amis deviendraient riches et qu'ils pourraient payer leur voyage...

FINE — Sont-ils vraiment aussi riches qu'ils le disent?

BLANCHE — Leur fortune soudaine est une très bonne affaire pour nous. Quant à vous, Fine, vous êtes libre, je n'ai pas d'ordre à vous donner. Mais puisque vous voulez bien me donner un coup de main, j'aimerais que vous vous occupiez de M. Bergeron.

FINE — Que veut dire: «occupiez»? (*Sourire complice de Blanche.*) Un gentilhomme, ce M. Zime. Je prendrai plaisir à agrémenter son séjour.

VOIX DE FEMME, *haut-parleur* — Tous les passagers doivent réintégrer leur place et attacher leur ceinture de sécurité.

*Castor et Zime apparaissent par l'ouverture pratiquée dans le rideau. Ils sont vêtus de beaux costumes tropicaux.*

CASTOR, *prenant place près de Gagouette* — Pis, ma petite princesse, y en a du bleu, hein? Zime, viens t'attacher! L'aéroplane va sortir ses roues. (*Se penche pour parler à Pica.*) Avec toute la dormette qu'il a pris, lui, va falloir le guetter si vous voulez que les Îles Vierges continussent à porter leur nom! (*Bien calé dans son fauteuil*) Envoyez, chauffeur, mettez-nous ça sur le plancher des vaches!

*Noir.*

# DEUXIÈME TABLEAU

*La scène se passe sur une plage privée des Îles Vierges. Du soleil et du vent. On pourra aménager au fond, à droite, une tonnelle surmontée d'un toit de chaume ou de feuilles de palmier. Quelques chaises longues. Un jeu de poches de sable. À l'avant-scène, à gauche, une petite table blanche avec une seule chaise droite. C'est là que se tient assis pendant tout le second tableau un personnage tout vêtu de blanc, à la peau blanche, aux cheveux blonds platine. Il est assis immobile et tient ouvert devant lui un grand livre noir. Cet homme, c'est Camard, la Mort. Il est invisible pour les autres personnages.*

*Ce second tableau devra produire une profonde impression d'irréalité, de grande joie de vivre, de bonheur, de liberté. Les personnages féminins sont légers, diaphanes. Leurs gestes rappellent l'envol des flamants roses dans le soleil couchant.*

*La scène commence au moment où Camard lit dans son grand livre noir. On voit bouger ses lèvres, mais sa voix étrange nous parvient à travers un haut-parleur invisible.*

CAMARD, *lisant très lentement* — Charles-Adjutor Morin, dit Castor, fils de feu Michel Morin et de feue Eugénie Fortier, né à Lauzon, comté de Lévis, Province de Québec, le 12 mai 1890.

*Au même moment entre Castor avec Gagouette, qui le tire par la main. Ils rient tous les deux. Castor est essoufflé, mais il cherche à le cacher.*

CASTOR — Juste derrière le button vert là-bas à deux arpents, y a une belle petite plage intime...

GAGOUETTE, *lançant une poche dans le jeu* — Vous connaissez ce jeu-là, monsieur Castor? C'est passionnant!

CASTOR — C'est pourtant pas ce qui avait été promis...

GAGOUETTE — Dans votre nouvelle situation, vous ne pouvez pas vous permettre trop d'écarts...

CASTOR — Me semble qu'une bonne petite dormette dans le sable, ça serait pas mal dans la ligne d'un millionnaire en vacances...

GAGOUETTE — J'ai vu beaucoup de monsieurs riches, aujourd'hui, qui jouaient aux poches. Et ils y prenaient du plaisir.

CASTOR — Les grosses poches qui se lancent des petites poches! Morgueux, y a tellement d'autres choses à faire! Regarde-moé le beau sable blanc, là-bas. Tu t'escarres là-dedans pis tu t'endors tout de suite.

GAGOUETTE — Pensez un peu à votre standing. Vous n'êtes plus n'importe qui, maintenant. Vous ne devez pas vous conduire comme un touriste.

CASTOR — Personne me connaît, moé, icitte! J'voyage en « coq nigaud ». Pis un standing, ça se repose de temps en temps, ça aussi. C'est pas nécessairement deboutte, un standing!

GAGOUETTE, *lançant une poche dans le jeu* — Le premier qui atteint 25 gagne!

CASTOR — Le premier qui pogne 25 gagne un p'tit bec sur le bedon. Ok?

GAGOUETTE, *riant* — Un petit bec sur le bedon!

*Ils jouent.*

CASTOR — On t'a pas vue de la journée, ma petite bouteille d'odeurs.

GAGOUETTE — Oh, j'ai marché, marché jusqu'au bout de l'île en suivant la plage. J'ai marché pieds nus sur cette partie du sable qui est toujours mouillée par les vagues. C'est doux-doux. (*Elle lance une poche de sable.*) Dix! Youpi!

*Castor lance et manque.*

GAGOUETTE — Monsieur Castor! Vous en re-perdez!

CASTOR — Saint-Épais! Un gars qui a passé sa vie à creuser, à t'enfiler la drille dans le trou, franc comme l'épée du roi... une déchéance! (*Il s'éponge le front.*) La chaleur me fait fondre mon visou. Sais-tu qu'il fait chaud en morgueux dans les Îles? Y ont la viarge brûlante pas possible!

*Entre Fine poursuivant un papillon.*

FINE — Par ici, monsieur Zime! Un beau papillon brun et orange. Magnifique.

ZIME, *il entre en courant. Il est essoufflé. Il tient un filet à papillons. Il porte bermudas et chapeau colonial.* — Où ça?

FINE — Là, sur la tonnelle.

ZIME — C'est un monarque. Un des plus beaux papillons de la création. Une merveille. Vous savez, mademoiselle Fine, c'est un papillon qui fait chaque année le voyage jusqu'à Québec. C'est un grand voyageur.

FINE — Attrapez-le, voyons!

ZIME — Mettre le filet sur un monarque, c'est aussi difficile que de toucher une aurore boréale!

FINE — Il se sauve! Je le veux, monsieur Zime, je le veux!

ZIME — J'aimerais bien vous le donner. J'essaie. J'essaie.

*Ils quittent la scène en poursuivant le papillon.*

CASTOR, *criant* — Marche d'aguette, Zime! Y a des serpents vlimeux dans le bois. Le grand fouet de l'hôtel l'a dit à matin!

GAGOUETTE — Monsieur Zime est tout transformé. Il s'est tout laissé ouvrir par le soleil.

CASTOR — Un p'tit gars ben smatte, notre Zime. Pis instruit avec ça. J'sais pas où c'est qu'il a pris toutes ses connaissances, lui qui a passé sa vie dans sa choppe de menuiserie.

GAGOUETTE — Monsieur Zime a toujours aimé les livres.

CASTOR — Pis cette maudite folie d'animaux qui lui a pogné tout d'un coup!

GAGOUETTE — Il a toujours eu la passion des animaux, mais sa femme était allergique aux poils et aux plumes.

CASTOR — Tu en sais des choses sur nous autres, mon petit chat!

GAGOUETTE — Euh... non, non. C'est lui qui m'a raconté tout ça dans l'avion. Vous ne jouez plus?

CASTOR — Trop chaud! (*Il se laisse tomber dans une chaise longue.*) Mais j'prendrais ben mon p'tit bec par exemple?

GAGOUETTE, *lui prépare, sous la tonnelle, un cocktail servi dans un fruit creusé, avec des pailles.* — Pas de gagnant, pas de récompense. Tenez, c'est très bon contre la chaleur.

CASTOR, *regardant vers le ciel* — J'espère que mes trois défuntes me regardent du haut de leur ciel pis qu'elles se battent les flancs! Regardez-moé, mes grébiches! Vous en croyez pas vos yeux de saintes, hein? (*À Gagouette.*) Je comprends pas ça, moé. Avant de se marier, c'était fin, c'était obéissant comme des moppes. T'étais pas revenu de voyage de noces que ça commençait à tout prendre à regriche-poil pis à fafiner sur le petit gâteau de nuitte. Ma deuxième, Antonine, était pas pire. Je commençais à la mettre à ma main, mais un an après les noces elle tombe d'un mal, la broue à la bouche, les yeux en sang. Obligé de la renfermer. C'est là qu'elle a accouché de Bâton, mon garçon. Mais les deux autres, par exemple! (*Regardant le ciel.*) Vous avez pas voulu le croire, hein, quand Castor vous disait qu'à un moment donné il ferait partie de la haute gomme? Regardez-moé, mes verrâses! (*Montrant son rafraîchissement.*) Tétez-la, asteure, votre eau bénite!

*Pica, malade, entre avec Blanche. Elle le soutient.*

CAMARD, *lisant* — Monsieur Roméo Paquette dit Pica, fils de feu Antonin Paquette et de feue Esméralda Desrosiers, né le 16 janvier 1909, à l'Islet, province de Québec.

CASTOR — T'es ben blême? T'as passé ton après-midi à brocher, mon snoraud?

BLANCHE — Monsieur Morin!

PICA, *désignant Castor* — Là, il vient de réaliser le rêve de sa vie: le fiforlagne pis la boisson. On est pas tous vicieux dans la tête comme toé, Castor.

BLANCHE — Monsieur Paquette a fait un beau somme après-dîner.

GAGOUETTE — Et pour se mettre en humeur, monsieur Pica va venir jouer une belle partie de poches avec Gagouette.

BLANCHE — Non, Monica. Nous allons laisser monsieur Roméo se reposer. Il a passé une très mauvaise nuit.

CASTOR, *à Pica* — Les fourmis t'ont repogné dans le bras?

PICA — Laisse. J'suis pas en air.

CASTOR — Voyons, mon jeune, on n'est pas venu dans les Îles s'entremordre comme des pauvres! On se cornaillera à notre prochain conseil d'administration.

PICA — Dire que ça fait dix ans que je veux venir dans le sud! Pas aussitôt arrivé que la machine tombe en panne!

BLANCHE, *enveloppante* — Quand nous vous aurons soigné comme il faut, monsieur Paquette, vous verrez, vous serez comme un jeune homme.

PICA, *les yeux comme ceux d'un épagneul* — Appelez-moé Roméo, voulez-vous?

BLANCHE — Mais oui, Roméo, nous serons aux petits soins. (*Elle lui sert un jus de fruits et l'évente.*)

*Entre Fine en maillot de bain recouvert d'une courte tunique de plage.*

FINE — Monica, viens donc te baigner avant que le soleil se couche.

31

GAGOUETTE — Je cours chercher mon maillot. (*Elle sort.*)

FINE, *se dirigeant vers la mer* — Tu me retrouves dans l'eau.

PICA, *étendu et sirotant son jus* — Le soleil descend bien de bonne heure par icitte?

CASTOR — Il a hâte d'aller se noyer dans la grand'tasse!

BLANCHE — Sous les Tropiques, le soleil se couche toujours tôt et toujours à la même heure.

PICA — Y a donc du monde chanceux sur la terre! Pas de glace, pas de frette, pas de canissons longs, pas de bibitte aux doigts...

CASTOR — Ouais! Mais pas de frette, pas d'énergie au travail. Pas d'énergie, pas de piastres. Pas de piastres, pas de plaisir. Sont pas mieux que dans la Province.

*Gagouette revient en maillot de bain. Castor s'approche.*

CASTOR — Que c'est donc soignant à regarder, un beau morceau de vie en nature. Fais ben attention à toé, ma petite princesse.

GAGOUETTE — Pas de danger. (*Elle sort en courant.*)

BLANCHE — Monica nage comme un poisson.

CASTOR — Comment vous savez ça, vous? Y a pas de piscine au Soir Vert. C'est pas la première fois que vous venez vous promener dans les Îles?

BLANCHE — Mais oui... c'est à dire: non. Il m'est déjà arrivé d'y venir passer des vacances.

CASTOR — Avec Gagouette?

BLANCHE — Monica sait nager, je le sais, c'est tout.

PICA — Sois donc monsieur avec les dames, Castor. C'est pas poli d'ostiner.

*Zime arrive tenant délicatement un papillon entre les doigts.*

ZIME — Il me semble qu'on est moins vieux quand on est poli.

BLANCHE — Tiens! Monsieur Bergeron a fait bonne chasse!

ZIME — Malgré les apparences, la chasse aux papillons est certainement la plus difficile. Mais j'ai tout de même réussi à attraper un monarque. Regardez comme les couleurs sont belles.

BLANCHE — Très beau papillon.

CASTOR — On aurait pu en faire l'emblème de la compagnie. Très beau pis pas facile à pogner!

ZIME — Euh... vous avez vu mademoiselle Fine?

CASTOR, *entraînant Zime à l'avant-scène et lui indiquant la mer* — Viens voir fortiller ça dans la crème des vagues comme des p'tites sarcelles du printemps! On aurait jamais dit à les voir comme ça dans la vie courante qu'elles pouvaient se débrouiller de même dans la grand' tasse, hein? C'est à croire qu'elles ont fait ça toute leur vie.

ZIME — Aie! On ne voit plus mademoiselle Fine!

CASTOR — Ça sait nager en-dessous comme en-dessus, voyons! Un bon nageur voit dans le fond de l'eau, clair comme je te regarde.

ZIME — Ça prend des poumons du tonnerre.

CASTOR — J'ai pas peur pour elles. (*Mimant une poitrine de femme.*) Elles ont l'armoire assez grande pour en mettre une bonne réserve.

ZIME — Elles s'éloignent. Il paraît qu'il y a des requins au large!

CASTOR, *affolé* — Es-tu fou? (*Il crie en direction de la mer.*) Hé! Y a des brequins au large! Nagez d'aguette, mes petites princesses! (*À Pica.*) Pica! Viens voir ça!

*Pica se lève malaisément et vient se joindre aux deux autres. Blanche s'étend et s'endort.*

CASTOR — Deux vrais p'tits marsouins en fête!

ZIME — Je ne peux m'empêcher de nous voir comme au début du monde. On est là, tous les trois, au bord de la mer infinie... puis tout à coup, surgissant des vagues, deux belles sirènes qui nous font des signes.

PICA, *levant la main comme pour saluer* — Ohé!

CASTOR, *coup de coude vicieux à Zime* — Ti-Fine Marcoux t'agouce le papillon, hein, mon Zime?

ZIME — Elle est très gentille. Une soie. Et intellectuellement très curieuse pour une femme.

PICA — Pour moé, on est à la veille de se réveiller.

ZIME — Tu crois qu'on rêve?

PICA — On va se réveiller pis on va se retrouver tous les trois au Soir Vert en train de s'imaginer qu'on est encore dans la force de l'âge.

ZIME — Nous sommes dans la force de l'âge.

(*Se touchant le front.*) La force de l'âge, c'est là.

CASTOR — Touche ton portefeuille, tu vas voir si on dort! Y a jamais rien eu de plus réel que ce qu'on a dans nos poches!

ZIME — Regardez! C'est Gagouette qui remonte. Elle est certainement restée plus d'une minute sous l'eau.

CASTOR — Un vrai p'tit huart des lacs! J'vous dis qu'elle a de la vie pour deux dans le corps, c't'enfant-là! J'ai ben envie de me saucer le canayen!

ZIME — Prudence, Castor. Tour de force, tour de fou.

CASTOR — Eh! J'ai déjà traversé le fleuve à la nage dans mon p'tit temps. Entre le quai Guilmour et la pointe de l'Île d'Orléans.

PICA, *devenant de plus en plus las* — T'as tout fait, toé, Castor?

CASTOR — Pis sans chaloupe pour me suivre!

ZIME — Le soleil descend toujours. On dirait qu'elles vont entrer dedans. C'est un des plus beaux spectacles que j'ai vus.

> *Lentement Camard se lève et vient par derrière Pica. Il lui touche amicalement l'épaule et lui parle. Sa voix comme celle de Pica est retransmise par haut-parleur.*

CAMARD — Viens, Roméo. C'est la chose la plus douce du monde.

PICA, *il reconnaît tout de suite Camard. Il ne manifeste aucune surprise, aucune révolte.* — Il me semble que je suis tellement jeune. Ce matin encore, j'étais tout en rond de chien, comme un enfant, quand madame Blanche est venue me border...

*Camard lui passe le bras autour des épaules et l'entraîne.*

CASTOR, *continuant à regarder vers la mer* — On pourrait patenter une sorte de mariage en face de cheval. Deux beaux morceaux comme ça, morgueux, on peut pas laisser ça à la merci de tous les brequins de l'Île.

ZIME — Restons spectateurs, Castor. À vieille mule, frein doré.

CASTOR — Vieille mule... vieille mule... t'es fin, toé! T'as pas encore compris qu'on est plus jeunes que les jeunesses?

ZIME — Nous ne comprenons pas les mêmes choses, mon ami.

CAMARD, *doucement à Pica* — Viens dans ton lit.

PICA, *se dirige lentement vers le fond de la scène* — Une semaine encore et on devenait amis, les gars. On s'entendait pas très bien, Castor, mais je t'admirais comme un fou. Tu sais, la fille qui t'avait agoucé au Klondike quand tu avais quinze ans. Si tu avais eu un petit, ça aurait pu être moé. Salut, vieux Zime, mon compagnon, vieux sage. Je suis en train de m'en aller comme dans du lait. Il me semble que je suis en train de commencer quelque chose. De toute manière, les gars, c'est la chose la plus douce du monde. (*Il est maintenant près de Blanche qui est étendue sur une chaise longue et qui ne le voit pas passer.*) Bonjour, madame Blanche. Vous faites un beau métier. Et toi, Aline, Aline, ma fille ! Je ne suis pas un cœur de roche ! Je me préparais à aller te voir en Haïtiti. Il était plein d'amour, vous savez, le petit Pica. Il a tellement été blessé qu'il s'est fermé en lui comme un chien. Plein d'amour le petit Pica... Plein d'amour le petit Pica...

CASTOR, *se retournant* — Pica, où tu vas ?

PICA, *sans se retourner* — Je m'en vas me coucher dans la chose la plus douce du monde.

CASTOR — Qu'est-ce qu'il a encore, lui ?

ZIME — Il est fatigué, notre Pica. Ces voyages sont durs pour le cœur. Une journée ou deux de plein repos et tout sera réparé.

CASTOR, *admirant le spectacle* — Saint-Épais que c'est beau ! Regrettes-tu le Soir Vert, toé ?

ZIME — D'après toi, on y retournera ?

CASTOR — Bof ! On va aller jusqu'au bout de nos piastres pis on verra !

*Noir.*

# DEUXIÈME PARTIE

# La mine

## TROISIÈME TABLEAU

*On voit d'abord apparaître le dessin lumineux d'une fenêtre au fond de la scène. Une lumière rosée. Se découpant en contre-jour, la silhouette de Pica qui se berce. Il parle tout seul.*

PICA — Tu penses peut-être que j'suis pas capable de leur dire ma façon de penser! Ma façon de penser, ils vont l'avoir. Là, j'en ai plein ma pipe! J'suis patient en maudit, mais à un moment donné faut que ça sorte sinon ça pourrit en dedans pis ça nous fait mourir dans du vinaigre. (*Un temps.*) T'es pas obligé de sacrer, Pica! T'as reçu une certaine éducation. Pis après? Si ça me tente, bourzaille! Maudit! Maudit de maudit! Tabarslack! Cul! Cul de maudit cul! (*Un temps.*) J'vas y dire: assis-toé là, Castor, je vas te parler, mon grand fend-le-vent! Ferme-la pour une fois. Si je vas plus travailler à la mine avec toé, c'est pas parce que j'ai peur de salir mes getters, c'est parce que j'suis plus capable. T'es pas obligé d'aller dire à tout un chacun que je me retire de l'affaire, que j'suis rendu p'tit vieux, que j'ai plus rien que du sang de grenouille dans les veines. (*Plus fort, mais avec la voix étouffée.*) On est pas icitte pour se faire mourir! Quand même! On est icitte pour vivre! Vivre! Tu penses que j'suis pas capable de leur envoyer ça, hein? Attends! Leur heure approche!

*Une sonnerie faible de téléphone. Une cabine très moderne s'allume à l'extrême droite. Blanche Caron va répondre.*

BLANCHE — Bonjour, le Soir Vert. Blanche Caron à l'appareil... Pardon?... Oui, ma sœur. Oui, oui... Vous êtes sérieuse ou... mais pas du tout!... C'est ce que j'ai toujours fait... J'ai le plus entier contrôle sur la discipline dans cette maison... Jamais je n'aurais toléré qu'on aille rôder comme vous dites et je ne connais personne ici qui soit mal élevé au point de... Pardon?... Voisins complaisants?... De quoi se mêlent nos voisins, ma sœur? Si j'ai fait construire un mur autour de ma propriété, ce n'est pas pour rien... Une tranchée? Un tunnel creusé en dessous de votre couvent?? Allons donc!

*Pica continue de se bercer et de parler tout seul. L'éclairage se précise un peu plus.*

PICA — Pica-la-face-longue!     Pica-l'air-de-bœu! Pica-les-braquettes! J'vas leur en faire des faces longues, moé! C'est quoi cette idée d'avoir la gueule fendue jusqu'aux oreilles à la journée longue? (*À l'oiseau encore invisible.*) Même toé, ça fait des semaines que tu dis rien. (*Un temps.*) Mon pauvre vieux, c'est ben clair, c'est le soleil qui te manque. Quand tu viens le moindrement sur l'âge, il faut du soleil. C'est aussi important que l'air que tu respires. Tu vas voir que je vas lui dire à Aline quand elle va appeler d'Haïtiti! Aline, cul de viarge!... Wow, Pica! Ménage tes blasphèmes quand tu parles à ta fille qui est missionnaire laïque en plus. Bon, j'vas lui dire pareil: Aline, maudit, insiste! Va voir la directrice, dis-lui que ton père est capable de prendre la place de comptable à l'école. Pourquoi que t'es allée me dire ça aussi qu'ils se cherchaient un comptable à ton école d'Haïtiti? Dis-lui que ton père se gâte les sangs dans un foyer de Québec pis que ça lui prendrait le soleil du Sud. Ok, c'est pas un foyer comme les autres, on paye une petite fortune, y a une liste d'attente longue comme la face à Pica, les dames sont ben gentilles avec nous autres, mais c'est ben simple, il me faut du soleil!

BLANCHE, *au téléphone* — Bon, laissez-moi parler. Que tout soit bien clair! Ce terrain m'a été vendu par votre communauté il y a six ans. À une époque où l'on construisait des prisons immondes pour les vieillards, j'ai eu l'idée d'y faire construire une maison moderne à tous points de vue, une maison très bien équipée, toute faite pour recevoir des hommes sans famille et pour leur assurer une vieillesse calme, sereine et sécurisante. Avez-vous une idée, ma sœur, de la manière dont les veufs âgés sont traités de nos jours?

PICA, *l'éclairage le découvre un peu plus. Il parle tout seul* — C'est pas bien compliqué: je vas lui dire la vérité sur les quatre faces. La vérité, Aline, c'est que ton père est malade. Tu le sais asteure, fais quelque chose, ma vieille! «Ma vieille». T'es fou, Pica! C'est à ta fille que tu parles, toé-là! Aline, tu penserais pas que l'air serait meilleur pour moé en Haïtiti? J'ai encore vingt bonnes années devant moé. C'est le mauvais temps par icitte qui nous rachève. Pas une journée de beau temps dans la Province depuis un mois. Les oiseaux sont déjà tous partis dans le grand Su'...

BLANCHE, *au téléphone* — Je sais ce que j'ai à faire et je ne veux plus entendre parler de cette histoire. Laissez-moi finir, ma sœur! Le Soir Vert n'est pas le quartier général d'un commando vicieux. C'est une maison respectable et mes pensionnaires sont triés sur le volet... Le terrain? Au prix très catholique de quinze mille dollars, oui!... Ce cap, cette falaise se trouve sur mon terrain, lequel se prolonge de cent pieds sur le haut de la falaise. Je suis propriétaire de ce terrain et j'entends bien y faire effectuer des travaux si j'en ai envie! Au revoir! (*Elle raccroche et sort.*)

PICA, *l'éclairage s'intensifie* — Toé qui connais tout, Zime, dis-lui donc à Castor que dans sa maudite mine y a pas l'ombre d'une feuille de mica! Je suis certain que toé, il va t'écouter. (*Un temps.*) Pis à Madame Blanche, mon Pica, qu'est-ce que tu vas lui dire? J'vas lui dire: assisez-vous là pis écoutez-moé! (*Un temps.*) Tu trouves pas que c'est un peu bête? Elle est fine pour toé, madame Blanche. J'vas lui dire: bercez-moé donc un petit peu. Pica, cul de viarge, à quoi es-tu en train de penser? Serais-tu un vieux cochon? (*Un temps.*) J'suis pas un vieux cochon, j'suis un vieux bébé! On est tous des vieux bébés! Pourquoi on leur dirait pas une fois pour toutes? (*À l'oiseau encore invisible.*) Pis va pas répéter ça, toé!

*L'éclairage est maintenant à son maximum. Il découvre une salle de dimension moyenne, très propre, d'un blanc sanitaire et froid. Une seule fantaisie: une petite cage blanche où se trouve un serin. Aux murs, des bombonnes d'oxygène, des tuyaux en caoutchouc: du matériel médical. Les trois berçantes et le mobilier sont en métal. Une porte sur la gauche mène aux chambres. Gagouette vient nourrir le serin.*

GAGOUETTE — Monsieur Pica fait un brin de causette à Petit Soleil?

PICA — Y a pas un son à sortir de lui.

GAGOUETTE, *elle parle à l'oiseau qui se met à chanter* — Mais oui, vas-y, ma petite gorge heureuse! Il y a des mois qu'on ne t'a pas entendu. (*À Pica.*) Monsieur Onésime dit que pour vivre longtemps, il faut sourire souvent.

PICA — Des fois, j'essaye, mais ça vient pas.

GAGOUETTE, *à Petit Soleil* — Et puis maintenant, tu vas envoyer une grosse goutte de bonne humeur à monsieur Pica qui en a bien besoin aujourd'hui. (*Elle regarde Pica en souriant.*)

PICA, *les yeux rivés à la fenêtre* — Le temps se cabane. Castor va ben sortir de son trou d'un instant à l'autre.

GAGOUETTE — Vous n'y allez plus travailler à la mine, vous, monsieur Pica?

PICA — C'est devenu l'affaire de Castor, pas la mienne.

GAGOUETTE — Pourtant vous y alliez encore de temps en temps il y a deux semaines.

PICA — On n'est plus à des âges pour ramper dans la bouette jusqu'au reinqué!

GAGOUETTE — Monsieur Castor, lui, a dépassé ses 80.

PICA, *montrant sa main gauche* — Les picotements me lâchent plus depuis un mois. J'ai ce bras-là comme un nid de fourmis.

GAGOUETTE — Donnez. Je vais vous frotter un peu.

PICA — Il va sortir, bourzaille! Quand il fait sombre dehors, c'est le noir épais dans le tunnel. À l'heure qu'il est, il voit déjà plus rien, c'est sûr.

GAGOUETTE, *s'approche* — Je vais vous faire du bon dans vos doigts.

PICA, *bourru* — Je te préviens, j'ai plus une cenne, Gagouette. Plus rien.

GAGOUETTE — Je vous ai déjà demandé de l'argent, moi? (*Elle lui prend la main et frotte en caressant.*)

PICA — J'ai jamais vu ça, moé, une jeune personne qui frotte de la vieille chair de poisson pour du gratuit.

GAGOUETTE — D'abord, ce n'est pas de la vieille chair. Ensuite: est-ce qu'il vous est déjà arrivé d'être gentil avec les femmes? (*Un temps.*) Votre femme, comment elle était?

PICA — Mathilda? Une sainte-accroupie qui est morte comme elle a vécu: une main sur son chapelet pis l'autre sur mon portefeuille. Pis à part de ça, j'sais pas comment elle était.

GAGOUETTE — Vous n'avez jamais cherché à la comprendre, à la faire parler, à savoir pourquoi elle se cachait derrière la religion?

PICA — Une marmotte. Elle mangeait comme une marmotte, elle se cachait comme une marmotte pis elle dormait comme une marmotte.

GAGOUETTE — Vous lui en voulez tant que ça à monsieur Castor?

PICA, *regardant toujours nerveusement par la fenêtre* — Tiens! Je te l'avais bien dit! Castor vient de sortir de la mine! (*Il retire violemment sa main.*) Donne ça! Si c'est pas ridicule en monde! Le pic sur l'épaule comme un charretier content, les jambes raides comme les culottes à Gamache, le jus de pipe au menton, l'air d'un prospecteur professionnel...

GAGOUETTE, *regardant par la fenêtre* — Il est encore carré pour son âge, vous ne trouvez pas?

PICA — Passé 80, un homme qui tient sa force, il faut qu'il la vole tous les jours à quelqu'un.

GAGOUETTE, *s'agenouillant près de Pica et reprenant sa main* — On dirait que vous êtes tout pris dans votre cœur, monsieur Pica, que vous avez toujours peur d'être puni.

PICA — Tu nous parles comme à des enfants as-teure!

GAGOUETTE — Je ne cache pas de couteau, vous savez. Personne ne vous en voudra de vous laisser soigner par une femme. (*Elle regarde la main de Pica.*) Tiens! Un cadeau au petit doigt!

PICA — Ça me surprendrait!

GAGOUETTE — Les petites taches blanches qui apparaissent sous l'ongle, on appelle ça des présents. Sous l'ongle de l'index, c'est un ami qui va se déclarer...

PICA — Pas de danger pour moé.

GAGOUETTE — Sous l'ongle du majeur, une demoiselle à marier. Sous celui de l'annulaire, c'est un ennemi.

PICA, *regardant ses deux mains* — T'es certaine que j'en ai pas sous cet ongle-là?

GAGOUETTE — Mais ici, par exemple, un beau cadeau! Une petite tache qui fait présager une jolie promenade.

PICA — Où ça? Dans les pays étrangers? Dans les pays chauds? En Haïtiti peut-être ben?

GAGOUETTE — Je ne peux pas en dire plus long.

PICA — C'est Castor qui t'a incitée à te moquer de moé?

GAGOUETTE — Je vous assure que c'est vrai. D'ailleurs on appelle ces petites taches, des mensonges! (*Rires.*)

*Castor paraît à la fenêtre. Il fait des signes, mimant sa sortie de la mine à cause de l'obscurité. Il porte un chapeau de mineur et fume la pipe.*

PICA — Veux-tu ben me dire quelles maudites simagrées il est en train de faire?

*Castor fait signe de lui ouvrir la fenêtre.*

PICA — Les courants d'air!

*Gagouette va ouvrir la fenêtre.*

CASTOR — Il fait noir là-dedans comme dans la brassiére d'une sœur!

PICA — Ferme! Les courants d'air, c'est mortel! (*Elle ferme.*) Lui, quand le bourreau va s'en approcher, je me demande s'il va en vouloir.

GAGOUETTE, *s'est approchée du serin* — Ah, Petit Soleil, si tu pouvais trouver une musique qui entrerait dans le cœur de monsieur Pica et qui irait dénicher le gentil qui est tout prisonnier en lui...

PICA — Que je me vois donc en Haïtiti, cul! Tout seul sur une plage de cinquante milles de long, avec le soleil pis la chaleur. Que je me vois donc!

*Entre Blanche. Pica se lève vivement, timide et tout transformé.*

BLANCHE — Monsieur Paquette, j'aimerais parler à monsieur Morin quand il entrera. Toi, Monica, on te réclame au 6.

GAGOUETTE — Bien, madame Blanche. (*Elle sort.*)

BLANCHE — Monsieur Bergeron est là?

PICA — Dans sa chambre.

BLANCHE — Il y a quelqu'un pour lui. Voulez-vous le prévenir. Comment est votre santé?

PICA — Oh, les fourmis font des petits là-dedans, je cré ben...

BLANCHE — Vous passerez à la salle des examens, je vais regarder ça de plus près.

PICA — Oh oui! (*Hésitant.*) Personne a téléphoné?

BLANCHE — Votre fille n'a pas encore appelé, non. À tout à l'heure. Bonne chance. (*Elle sort.*)

PICA — On est pourtant mercredi. (*Il va frapper à la porte de la chambre.*) Zime, de la visite! (*Il va se rasseoir et se berce.*)

## QUATRIÈME TABLEAU

*Entre Camard, transformé en taxidermiste. Il porte une grosse boîte de carton. Zime sort de la chambre. C'est un vieillard très digne, habillé proprement, très discret, très fin. Il a un livre à la main.*

ZIME, *enlevant ses lunettes* — Monsieur...

CAMARD — Camard. Taxidermiste.

ZIME — Ah?

CAMARD — Je suis envoyé par monsieur Bergeron, votre fils. (*Montrant la boîte.*) J'ai un petit cadeau pour vous.

ZIME — Un cadeau de Marcel?

CAMARD — Votre fils avait un chien magnifique, vous savez.

ZIME — Ulysse est une bête que j'aime beaucoup.

CAMARD — Eh bien, il lui est arrivé un petit accident il y a quelques jours et votre fils me l'a apporté pour que je le prépare à votre intention.

ZIME — Ulysse est... ?

CAMARD — Oh, mais rien n'y paraît, monsieur.

ZIME — Je vois. J'avais exprimé à mon fils le désir de récupérer la bête advenant...

CAMARD — Le matériel de cette dimension présente des problèmes énormes. (*Il commence à ouvrir la boîte par le bout.*) La queue, par exemple. Vous pensez peut-être que c'est une mince affaire ? Pas du tout. Et quelle attitude, quelle posture donner au corps ?

ZIME — Évidemment...

CAMARD — J'ai longuement réfléchi. Debout, il n'en était pas question. D'après le récit que m'a fait votre fils, l'accident a été brutal et...

ZIME — On ne choisit pas l'outil de sa délivrance.

CAMARD — Juste. Les pattes étaient très abîmées... enfin... il manquait une patte ! Oh, j'ai très bien réparé le tout en raccourcissant la queue. J'ai fait des merveilles. Vous comprenez alors pourquoi il m'a été impossible de vous le présenter debout.

ZIME — Que voulez-vous ?

CAMARD — J'aurais pu à la limite éterniser un Ulysse assis, prêt à bondir vers son maître. Mais je me suis dit : à la longue, il sera désagréable de vivre avec un être qui a toujours l'air d'attendre quelque chose, je ne sais pas, qui a toujours l'air d'attendre que vous alliez le promener... et qui par conséquent se présenterait à vous en éternelle attitude de reproche.

*Pica observe la scène sans trop comprendre. Il se lève et vient regarder la boîte de plus près.*

PICA — Veux-tu me dire, Zime? (*Zime lui fait signe d'attendre.*)

CAMARD — Votre futur compagnon vous laissera tranquille. Il fallait pour cela lui donner l'air de la discrétion, de la détente, de la joie enfin!

PICA — La joie, icitte, mon cher monsieur, on voit ses pistes dehors, autour de la maison, mais elle vient pas frapper souvent à la porte.

ZIME — Ça ira mieux, Pica, tu verras. J'ai trouvé une nouvelle recette. Je t'en parlerai.

CAMARD — En conséquence, je l'ai préparé en position mi-dormeuse, mi-veilleuse. (*Il se penche devant le bout de la boîte.*) Viens, Ulysse, viens.

ZIME — On doit comprendre qu'il soit intimidé.

CAMARD — Viens, mon chien. (*Il le tire par le collier.*) Qu'en dites-vous?

PICA — Cul de viarge! (*Il va se rasseoir et se berce.*)

ZIME, *se penche vers le chien empaillé* — Quand je demeurais chez mon fils, ce chien m'aimait comme son maître. Tous les matins, au réveil, c'est moi qu'il venait renifler le premier. Ulysse, je suis très heureux de te recevoir au Soir Vert. Tu y seras choyé et aimé. Beau travail, monsieur Camard.

PICA — Zime, t'es fou braque! T'as pensé à madame Blanche?

ZIME — La femme s'interpose, l'homme s'impose!

PICA — Tu vas pas nous mettre ça au beau milieu de la place? C'est mort!

CAMARD, *faussement indigné* — Monsieur! Il est vrai que l'œuvre d'art, qui est souvent plus vraie que la vie elle-même, ne s'adresse qu'à une élite.

ZIME — Monsieur Camard, je ne vois qu'une seule place pour Ulysse. Ici, tout près de ma chaise. (*Il se berce et se penche pour caresser la tête du chien.*) Tout près de moi, je le contrôlerai plus facilement. Qu'en penses-tu, Ulysse? (*Camard jappe.*) Beau chien, beau chien.

CAMARD — Je suis très heureux, monsieur, que mon travail vous plaise.

ZIME — À 70 ans, c'est le premier animal que j'ai. (*Il sort son porte-monnaie.*) J'espère que ce n'est pas trop cher parce que...

CAMARD — Non, non. C'est déjà payé. Vous m'excuserez. Je suis pressé.

*En sortant, il croise Castor qui vient de sortir de la chambre, vêtu de sa belle chemise à carreaux, de son pantalon neuf retenu par de magnifiques bretelles.*

CAMARD — Monsieur...

CASTOR — Castor Morin, natif de Lauzon. (*Il lui serre vigoureusement la main.*) Vous devriez vous enfiler des gants, vous avez les mains frettes comme de l'eau de puits! Ça s'est renfrédi dehors. Comme on dit, les chiens vont manger de la bouette. (*Le regarde de plus près.*) Me semble que je vous ai déjà vu la bine queuk part, vous?

CAMARD — C'est possible. J'ai beaucoup voyagé.

CASTOR — Moé itou. J'ai roulé ma bosse dans toutes les Provinces du Dominion. J'suis même allé de l'autre bord des Rock Mountains, à Dawson. Je vous parle pas d'hier, là. Dans le temps, on était jeunesse, on tirait pas du mollette comme asteure. Mais on se laisse pas avoir, hein, mon Zime? On a encore de la graine à passer entre les meules!

CAMARD — Vous m'excuserez, monsieur. Le travail, vous comprenez.

CASTOR — Ah, on sait ce que c'est.

CAMARD — Au revoir, messieurs. (*Il sort.*)

CASTOR — Lui, il a une binette qui me dit queuk chose! Où c'est que j'ai vu c'te face de peau de nanne? (*À Pica*) Pis, mon Pica, tu te fais minoucher les porte-bagues par les demoiselles, mon verrat? (*Pica se détourne et regarde par la fenêtre.*) As-tu rencontré Bouchefroutte?

PICA — Comment ça?

CASTOR — T'as mal à la mine sans bon sens. On dirait que t'es venu au monde dans un champ de toques!

PICA — En parlant de la mine, justement...

CASTOR, *qui vient d'apercevoir le chien* — Saint-Épais! Zime a de la visite! (*Se penche pour le flatter.*) De la belle compagnie, ça, mon Zime.

ZIME — Il s'appelle Ulysse.

CASTOR, *à Ulysse* — Mon oncle Castor en a eu

des belles bêtes comme toé. Mais pour la communication, par exemple, mon oncle a été mieux servi. (*Il le flatte puis se relève brusquement.*) Tu vas pas me dire que tu t'es fait empailler...?

ZIME — Faute de grives, on mange des merles.

CASTOR, *réfléchit* — Ouais!

PICA — Madame Blanche veut te voir.

CASTOR — Madame Blanche me verra, verrat! (*Rires.*)

ZIME — Assis-toi, Castor. Écoutez-moi bien, vous deux. Je ne vous demande jamais rien, mais je m'attends à ce que vous vous comportiez avec Ulysse comme des gentilshommes. Comme dit l'adage: les gens de nos gens. J'espère que vous respecterez un des derniers plaisirs de ma vie.

CASTOR — Dernier plaisir de ta vie! Voyons, on commence une nouvelle jeunesse, morgueux! Vous vous sentez pas pris par une sorte de débordement, vous autres? Moé, c'est comme si je commençais un nouveau rang sur l'épi de blé d'Inde. (*Pause.*) C'est bon, Zime. Alisse est mon ami jusqu'à la fin de ses jours. Mais arrive-nous pas avec un portipi, par exemple!

PICA — C'est pas ce que tu disais, Castor, quand Zime a eu son serin.

CASTOR — P'tit boutte de Soleil, c'est pas pareil.

ZIME, *rectifiant* — Petit Soleil...

CASTOR — J'ai jamais aimé ce qui est en cage. Il est tout éteint par ses barreaux, c't'oiseaulà. Il chante même plus.

PICA — Gagouette l'a fait chanter tantôt.

ZIME — C'est vrai? (*À Petit Soleil.*) Tu t'es remis à chanter, mon cher petit?

CASTOR — Gagouette, elle ferait chanter un cheval! Saprée belle petite fée, va!

*Gagouette entre, portant des breuvages sur un plateau.*

GAGOUETTE — Votre collation, messieurs.

CASTOR — Non, non, pas comme ça. Recommence, mon p'tit parfum.

*En souriant, Gagouette sort et refait son en-entrée.*

GAGOUETTE — C'est l'heure de votre p'tit caribou, mes chéris.

CASTOR — Morgueux, que t'es belle aujourd'hui, ma Gagouette! Un vrai rayon de soleil, c'te petite femme! Pica, est-ce que je t'ai déjà parlé de la petite gueuse qui m'avait envrâlé quand j'étais au Klondike? (*Il boit.*) Hum... ils diront ce qu'ils voudront, un bon caribou, ça accote l'estomac d'un mineur.

PICA — Toujours la boisson pis les femmes dans la tête! Ma foi du saint Christ, Castor, des fois je me demande si t'es pas un diable envoyé en déguisement de l'enfer pour nous damner vivants. J'pense qu'y a pas un vice que t'as pas.

CASTOR — Des fois, Pica, je me demande si t'es pas un faux saint. Y a pas une hypocrisie que t'as pas. (*Montrant le chien à Gagouette*) T'as vu?

GAGOUETTE — C'est à vous, monsieur Zime?

ZIME — Il est prêt à se mettre ami avec tous ceux qui sont gentils avec lui. Il s'appelle Ulysse.

GAGOUETTE, *penchée vers le chien* — Bienvenue au Soir Vert, mon vieux. On va prendre soin de toi, tu verras.

CASTOR, *assis* — Viens donc icitte un peu, ma belle princesse. Tu verrais pas un démon dans mon œil?

GAGOUETTE, *elle examine l'œil de Castor qui en profite pour lui prendre la taille* — Je ne vois rien.

CASTOR, *il colle son oreille contre son ventre* — Mais... qu'est-ce que j'entends? On dirait que ça chante. La bonne vie jeune qui fait son ronron. Ça, c'est de la musique, mes enfants.

PICA — Ravale tes humeurs malines, cul de viarge. As-tu déjà respecté une femme dans ta vie?

CASTOR — Je vous dis que ça chante. À mon avis, Gagouette, c'est toé la mére des oiseaux. Va montrer à Zime...

ZIME, *timide* — Allons, Castor, un peu de sérieux. Nous ne sommes plus à l'âge des gamineries.

CASTOR, *il conduit Gagouette près de Zime* — Colle ton oreille icitte, mon Zime. Tu entends? (*Castor prend les mains de Gagouette et les place sur la tête de Zime.*) Entends-tu?

ZIME — Mon dieu!...

CASTOR — Ça chante ou ça chante pas?

ZIME, *tombant dans la douceur* — Ça parle! (*Regardant Gagouette.*) Mais ce langage-là, ce n'est pas pour des vieux comme nous.

CASTOR — Des vieux? Regarde-nous comme il faut, Gagouette? Est-ce qu'on a l'air de vieilles carcasses bonnes pour le tas de ferraille? Morgueux, il me semble que j'ai le cœur comme un golfe! Quand on est jeune, on est petit en dedans comme une fenêtre de cave. On suce toute la lumière, on pompe le sentiment des autres. Moé, quand j'ai pogné le grand âge, je me suis senti déborder. C'est pas mêlant, Gagouette, si je m'écoutais, je te demanderais en mariage! (*Il lui pince la joue.*) Beau p'tit printemps, va!

GAGOUETTE, *à Castor* — Madame Blanche veut vous parler.

CASTOR — Va lui dire que monsieur Castor veut justement parler à Madame Blanche. Attends un peu. (*Il lui prend le menton et la regarde longuement, très sérieux.*) Si demain matin, monsieur Castor, monsieur Zime, monsieur Pica devenaient millionnaires, qu'est-ce que tu dirais?

PICA — Une autre folie asteure!

CASTOR — Y a ben rien que les vieux pauvres pour finir leurs jours tout seuls comme des chiens. As-tu déjà remarqué que les vieux riches finissent toujours leur vie avec des beaux morceaux de jeunesse comme toé?

GAGOUETTE — C'est parce que la richesse donne confiance, monsieur Castor.

CASTOR — J'vas vous dire où je la garde, ma confiance, moé. Icitte, dans ma poche! Quand il va sortir ça, pis le temps est pas loin, tu vas voir, ma petite princesse, que monsieur Castor va se remettre en plein milieu du perron du monde!

*Noir.*

# CINQUIÈME TABLEAU

*Les troix vieux se bercent. Zime caresse son
chien.*

PICA — Tu voulais nous parler, Castor?

CASTOR — Ouais!

PICA — On t'écoute.

ZIME — Ça va mal pour toi, mon vieux. Si la mine
ferme, comment tu vas passer ton temps?

CASTOR — Ça va très bien pour moé pis ça va
très bien pour la Quebec Beaver Mining! Ça va
très bien pour vous autres. Ça fait mon affaire
d'arrêter de creuser, c'est pour ça que j'arrête.
J'ai pas envie de finir mes jours comme un sif-
fleux.

PICA — J'espère que t'as tenu des comptes de
l'argent qu'on a mis là-dedans.

CASTOR — Graine par graine, en trois ans et
demi, Pica, tu m'as fourni $72.58. Tu seras
remboursé au centuple. Les parts de la Quebec
Beaver donnent du cent pour un.

PICA — Comme dans le ciel.

CASTOR — Mieux qu'au ciel. Moé, je te rembour-
se au miltuple. Pis toé, mon Zime, le travail
de menuisier que t'as mis dans l'affaire va te
payer comme tu l'as jamais été en cinquante
ans de métier. Sais-tu que du boisage de même,
ça va rester là jusqu'au jugement dernier? Sur
ce train-là, on aurait pu se rendre jusqu'au nom-
bril de l'enfer.

PICA — Qui nous dit que c'est pas là qu'il passait ses grandes journées depuis un mois?

ZIME, *calme* — Que veux-tu nous dire, Castor?

CASTOR, *se lève et marche un peu* — Êtes-vous capable de deviner par cœur ce que je brasse dans ma poche?

PICA, *se lève pour partir* — Encore des maudites cochonneries!

ZIME — Reste, Pica.

CASTOR — Ah, tu penses que je me fais du p'tit onguent gentil, hein? Dans c'te poche-là, mes jeunes, je touche une clé. La clé qui ouvre toutes les portes.

PICA — Madame Blanche nous a demandé de lui donner toutes nos clés.

CASTOR — Je parle en paraboles. Comme Zime. Tantôt, à madame Blanche, j'ai dit que j'étais prêt à arrêter mon creusage. Y a une chose que j'ai pas dit...

PICA — Quoi?

CASTOR, *frappant sur sa poche* — Ça! Ce que la mine porte dans le ventre. (*Il sort les pépites d'or et les place, une à une, bien en vue sur la petite table.*) À partir d'asteure, le Soir Vert devient la résidence de trois nouveaux millionnaires!

PICA, *s'approche* — Qu'est-ce que c'est ça?

ZIME, *continuant à se bercer* — De l'or, Castor?

CASTOR — De la belle or de mine, ouais! La mine à Castor Morin vient de parler. Pis c'te langage-là, quand il commence à se faire entendre, il se fait un silence du verrat, hein?

ZIME — Je peux voir.

CASTOR, *il lui présente la plus grosse pépite* — Certainement. Pis fais attention à Alisse. Il peut nous gober ça comme rien.

ZIME — Quand le chien a de l'argent, on l'appelle Monsieur le Chien.

CASTOR — T'as jamais autant ben parlé.

PICA — On peut toucher?

CASTOR — Ça mange rien que les petites natures!

PICA — Bout de ciarge, Zime, c'est de l'or!

ZIME — Il y a bien des choses dans un chosier. (*Un temps.*) Personnellement, je glisserais à penser que ce n'est pas de l'or de mine.

CASTOR — Pas de l'or de mine, ça? Pourquoi pensez-vous que je me dépitaille à toute éreinte dans ce trou maudit depuis quatre ans au risque de me décrocher l'épine dorsale du dos? Pourquoi pensez-vous que j'suis allé en personne me chercher un claim au gouvernement? Regardez-moé ça, les gars, des belles petites crottes de soleil!

ZIME — Ton or, ce n'est pas de l'or de mine, ce sont des pépites. C'est tout poli par les années.

CASTOR — Tu connais l'or, toé?

ZIME — J'ai passé un bon diplôme à l'université de la vie. Puis les livres, parfois, contiennent des richesses.

CASTOR, *résigné* — Bon. Bon. Zime a raison. C'est pas de l'or de mine. Mais apporte tous les livres du monde, y en a pas un saint-Épais pour venir me dire que c'est pas de l'or!

ZIME — C'est même du très bel or. De l'or pur.

CASTOR, *à Pica* — Tu as entendu ce que Zime nous dit là? (*Il bombe le torse.*) Qu'est-ce qu'on fait asteure?

PICA — J'sais pas moé. Tu vends pis tu rembourses tout le monde.

CASTOR — Saint-Épais, Pica, es-tu capable de voir plus loin que tes paupières? (*Un temps.*) Tu nous avais pas dit, toé, que t'avais monté une affaire à Québec?

PICA — Un commerce d'importation d'épices et de café, oui. Et qui a très bien marché. C'est pas de ma faute si j'ai été exproprié.

CASTOR, *acide* — Es-tu devenu riche?

PICA — Trop honnête.

CASTOR — Mais! Il est bête à manger de l'herbe! C'est pas moé que tu vas venir engourlicher, mon jeune. T'es pas devenu riche parce que t'as pas été capable de faire des poules avec tes œufs! Un gars d'vient pas millionnaire à vendre des œufs à la douzaine.

PICA — J'ai jamais vendu d'œufs.

CASTOR — Je parabole moé itou. Un gars qui a un peu de jarnigoine en dessous du bonnet s'arrange pour faire des poules qui lui donnent des millions d'œufs. Faut pas avoir peinturé le derrière des mouches en vert pour comprendre ça.

PICA — Pis toé, Morin, t'es devenu riche, j'imagine!

CASTOR — Je le suis pas devenu: je l'étais. J'ai pas toujours eu du foin dans mes bottes, j'ai trimé dur cinquante-cinq ans de ma vie à creuser des puits, mais je me suis jamais énervé parce que je suis riche depuis l'âge de quinze ans. Depuis le jour où j'ai mis la première boule de soleil dans mon sac. J'ai attendu soixante-dix ans. Le jour est venu de faire des poules.

PICA, *à Zime* — D'après toé, y en a pour combien?

ZIME — Deux trois mille piastres dans le plus...

CASTOR — Si je vends mes œufs tout nus tout de suite, peut-être ben. Mais si on fait des poules, on peut en avoir des millions.

PICA, *prenant une petite pépite* — Regarde, Zime, ça ressemble à une dent.

CASTOR — Ça ressemble à une dent parce que c'est une dent. Une belle dent en or qui me vient de ma première femme. Elle les avait longues comme un castor. (*Rires.*) Pis ces morceaux-là, c'est moé qui les ai trouvés au Klondike en 1908. Mon oncle Pamphile, qui m'avait traîné à Dawson m'a donné celle-là, la plus grosse, la plus belle. Mes enfants, c'est une nouvelle vie qui commence pour trois veufs canayens. Une nouvelle force de l'âge.

ZIME — L'âge d'or !

CASTOR — Ouais !

ZIME, *très sérieux* — Tu sais : santé passe richesse. S'enrichir empêchera pas d'être pauvre.

CASTOR — Dans c'te vie de braque, l'or c'est le calleur des danses. Castor Morin a décidé de faire danser la compagnie. Autrement dit, j'ai pas envie de vendre dans les prix doux.

PICA, *devenant de plus en plus conciliant* — Comment tu vas faire, Castor ?

CASTOR — J'suis pas au bout de mes trouvailles ! Je rumine c't'affaire-là depuis cinquante ans. (*Il va chercher quelques pierres dans la chambre.*) Zime, de l'or pur, c'est mou, hein ? As-tu déjà vu quelque chose de mou qui plie pas devant une tête de cochon ? J'ai déjà prospecté. J'sais comment ça dort, l'or, en-dessous de la terre. C'est en filons.

ZIME — Si je comprends bien, tu incorpores l'or à la pierre et tu fais croire que...

CASTOR — ...et on devient trois mineurs chanceux. (*Un temps.*) Toé, Pica, comme je te connais, tu dois ben avoir gardé un p'tit bijou ou deux de ta Mathilda?

PICA — Comment tu sais ça, toé?

CASTOR, *à Zime* — Tes beaux boutons de manchettes pis ta belle épingle à cravate appareillée, tu les investirais pas dans la Quebec Beaver?

ZIME — J'ai aussi une belle pièce d'or, un vieux Napoléon français que mon oncle Lauréat m'avait rapporté des vieux pays quand je me suis marié. C'est étrange tout de même qu'on ait gardé ça jusqu'à aujourd'hui.

PICA — Nos bijoux, tu les écrases dans la pierre avec les pépites?

CASTOR — Une mine comme la nôtre, les jeunes, c'est comme une créature qui a pas d'estomac. Faut grimer le naturel. La ronde des amoureux va commencer.

PICA — Tout ça c'est ben beau, mais on tombe dans l'illégalité.

CASTOR — Ôte ton brassard de communiant! Si on veut vivre à plein ce qui nous reste d'années, faut devenir riches. Pour devenir riches, faut être ratoureux. On devient des renards.

ZIME — Autrement dit, on tombe pas dans l'illégalité, on passe dans l'animalité. (*Caressant le chien.*) Tu vois Ulysse?

*Noir.*

## SIXIÈME TABLEAU

*C'est le soir. Pica se berce. Zime est en train de couvrir la cage du serin pour la nuit.*

PICA — Tu trouves pas ça risqué, toé?

ZIME — Bah! Vieille couleuvre change bien encore de peau!

PICA — Bourzaille que je trouve donc qu'on s'embarque dans une affaire dangereuse! (*Indiquant la porte de la chambre où Castor se trouve.*) C'est le diable en personne, c't'homme-là!

ZIME, *à l'oiseau* — Tu ne chantes plus pour l'oncle Onésime? Deux mois qu'on ne t'a pas entendu, Petit Soleil.

PICA — Il est rendu au bout de son coton, c'te pit-là! Laisse-le donc partir.

ZIME — Dehors, c'est la jungle pour lui. Ici, si on le soigne bien, il peut vivre encore longtemps.

*Blanche apparaît côté cour. Elle introduit un homme qui ne semble pas très à l'aise. Il semble très vieux, très fermé. Il est vêtu d'un vieux pardessus et il porte sous le bras un grand cadre enveloppé dans du papier-cadeau.*

BLANCHE — Pensez-y, monsieur Morin, pensez-y comme il faut. Votre décision pourrait avoir de sérieuses conséquences pour la santé et même la vie de votre père.

BÂTON — J'ai pas peur pour lui.

BLANCHE — J'espère que vous arriverez à vous entendre, mon Dieu!

BÂTON — La seule différence entre lui et un tas de roches, c'est qu'un tas de roches pis moé on arrive toujours à se comprendre.

BLANCHE — Votre père est très accommodant quand on sait le prendre. (*À Pica.*) Voulez-vous prévenir M. Morin. (*À Bâton.*) Bonne chance. Vous m'en donnerez des nouvelles.

*Bâton est nerveux. Il s'avance voûté et ergotant. Il dépose son paquet sur une petite table.*

PICA, *il va ouvrir la porte de la chambre* — Castor! De la visite rare! (*Se rassoyant.*) Vous pouvez vous asseoir.

BÂTON — Le pére est déjà couché? Dites-moé pas que sa résistance commence à baisser? (*Il aperçoit le serin.*) Vous avez un pit?

ZIME — C'est Petit Soleil. On l'a depuis quatre ans.

PICA — Ce qui veut dire que vous venez pas souvent, M. Bâton.

BÂTON — Mon nom a toujours été Zario et c'est encore Zario. (*Il s'approche du serin.*) Tu chantes pas, mon pit? Fais donc une p'tite jasette à M. Zario. Envoye! (*À Zime.*) Il gazouille pas?

PICA — De ce temps-ci, il parle rien qu'aux demoiselles. Assisez-vous donc.

ZIME — Fumez.

*Bâton s'assoit sur une chaise droite près de la table. Il se relève aussitôt et se promène.*

ZIME, *après un moment* — Nous, ça va très bien.

BÂTON — Pardon?

ZIME — Notre santé est excellente et notre moral à son meilleur. Notre ami Pica est légèrement indisposé, mais je suis sûr que ça ira mieux.

BÂTON, *embarrassé* — Euh... j'espère...

ZIME — Et vous, combien ça vous fait?

BÂTON — Cinquante-deux le mois prochain.

PICA — Bourzaille! Vous faites avancé pour votre âge!

BÂTON — On a travaillé dur, nous autres, étant jeunes. Le pére nous a pas manqués.

ZIME — Vous préoccupez-vous un tant soit peu de votre santé?

BÂTON — Bof! Pour ce que la chienne nous réserve.

ZIME — Monsieur! La vie est belle, voyons! Il suffit de s'aider un peu et de se dire qu'avant cent ans, la mort c'est un accident.

BÂTON — Jamais je me rendrai jusque-là. Le moteur tousse pis la carrosserie prend la rouille de partout. Une chance qu'on a le travail pour oublier nos bobos.

PICA — Votre pére, c'est avec les brakes qu'il a ben de la misère! (*Va crier à la porte de la chambre.*) Castor! Il y a quelqu'un! (*Il se rassoit.*) Zime, donne-lui donc notre recette de longévité à ce ti-gars-là!

BÂTON — Surtout appelez-moé pas ti-gars!

ZIME — Le matin, quand vous vous levez, qu'est-ce que vous faites?

BÂTON — Ben... je m'habille... je déjeune... je me rase. J'ai la barbe ben dure. Des vraies braquettes à tôle.

ZIME — Aucune pensée pour le système... pour l'organisme?

BÂTON — Qu'est-ce que vous voulez dire?

ZIME — Vous ne faites aucun exercice pour donner toutes ses chances au corps?

BÂTON — Vous en faites vous autres?

PICA, *fier* — Tous les jours. Explique-lui donc ça, Zime.

ZIME, *se lève* — Nous pratiquons une série de respirations toutes simples qui permettent aux poumons d'oxygéner le sang comme il faut.

BÂTON — C'est compliqué sans bon sens.

ZIME — C'est le secret de la santé. Il suffit, cinq ou six fois matin et soir, de chasser complètement l'air des poumons en expirant et de prendre, en forçant ici dans l'abdomen, de grandes respirations. Il est évidemment préférable de le faire au grand air.

PICA — Ça s'appelle le Grand Souffle Perdu.

BÂTON — Comment?

ZIME — Le Grand Souffle Perdu.

PICA — C'est Zime qui a inventé ça. C'est ce qui va nous permettre de vivre cent ans.

ZIME — Il faut ajouter certaines petites choses comme la sobriété, l'activité de l'esprit, la volonté d'y parvenir...

PICA — ...Et beaucoup de soleil!

*Castor sort de la chambre, rieur et très au-dessus de ses affaires.*

CASTOR — Tiens! Si c'est pas Bâton! Qu'est-ce qui t'amène, ti-gars? Ta femme t'a laissé sortir? Je gagerais que tes affaires vont mal. (*Bâton se roule nerveusement une cigarette.*) Je te l'avais dit de continuer de creuser des puits au lieu de te mettre à vendre de la gravelle. L'avenir est dans l'eau pure. Pas dans les tas de roches!

BÂTON — Mes affaires ont jamais aussi ben marché, le pére.

CASTOR — T'as pas l'apparence d'un gars prospère. Un homme en affaires fume des faites, morgueux! (*Aux autres.*) Vous trouvez pas qu'il a l'air chargé d'années sans bon sens?

ZIME — C'est ce que nous étions en train de dire.

CASTOR — Si on se promenait ensemble dans la rue, il passerait pour mon pére. (*Il s'assoit dans sa berçante.*) Qu'est-ce qui va pas, ti-gars?

BÂTON — Ti-gars voudrait que tu l'appelles par son nom, torvis! (*Brusquement, sans cérémonie, il lui présente le cadeau.*) C'est pour ta fête. C'est ben demain que t'auras 85?

CASTOR — 85? Si tu mets les chiffres dans le bon sens, ça me fait 58 ans. En tous cas, t'es ben gentil, mon Bâton. (*Il commence à ouvrir le paquet.*)

BÂTON — C'est pas grand'chose, mais c'est de bon cœur.

CASTOR, *découvrant le cadre qui le représente* — Saint-Épais! Qu'est-ce que ça vient faire icitte c't'affaire-là? Je t'avais dit de garder ça de toute éternité dans le salon de la maison.

PICA, *s'approchant* — Le portrait du Sacré-Cœur?

CASTOR — Ben mieux que ça! La binette d'un gars de 50 ans qui a un sacré cœur d'homme! (*À Bâton.*) Ramène-moé ça à sa place pis tout de suite, mon p'tit verrat! (*Lève la main fausse-*

*ment menaçant*.) Parce que si t'attendais pas de visite à soir, tu vas avoir du monde!

BÂTON — C'est Henrine, le pére! Elle a décidé de faire des réparations dans la maison. Elle a tout descendu l'ancien dans la cave. J'ai pensé que...

CASTOR, *montrant le portrait à ses compagnons* — C'est ancien, ça? Tant que le bonhomme qui est dans le portrait est en verdeur, c'est pas de l'antiquité.

*Il dépose le cadre sur la table. Zime vient le prendre, l'admire un moment puis va l'accrocher au mur, bien en vue.*

CASTOR — Comme ça, vous faites des réparations dans ma maison?

BÂTON — La maison, tu me l'as donnée il y a dix ans. (*Un temps.*) Justement, puisqu'on en parle... on a retrouvé l'acte de donation... pis on a été ben surpris...

CASTOR — Qu'est-ce qui va pas?

BÂTON — Il manque une signature. La tienne, le pére. Où t'avais la tête donc quand on a passé le contrat?

CASTOR — Je trouve ça pas mal mystérieux...

BÂTON, *nerveux et circonspect* — Euh... on pourrait pas se parler d'homme à homme?

CASTOR — Ils ont des jupes ces gars-là? En plus de ça, Zime et Pica sont mes associés. J'ai pas de secrets pour eux autres.

BÂTON — Associés?

PICA — Une vraie compagnie. Notre marchandise est pas encore sur le marché...

CASTOR — ...mais ça tardera pas.

ZIME, *montrant le portrait accroché* — Et nous avons bien confiance dans notre président.

CASTOR — Comme ça, il manque une signature?

BÂTON — C'est pas grave, le pére. (*Il sort le papier.*) Reste plus rien qu'à le signer icitte. J'irai le porter chez le notaire demain matin.

CASTOR — Montre-moé donc. (*Il lit.*) Le soussigné Adjutor Morin donne à son fils une maison de deux étages située... bla-bla-bla... dépendances... meubles meublants... ainsi que son équipement de forage... bla-bla-bla... terrain de cinq arpents par vingt-deux arpents... bla-bla-bla... en échange de quoi mon fils Zario Morin s'engage à payer à l'institution Le Soir Vert une rente de... bla-bla-bla... De plus le soussigné s'engage à donner à son fils Zario un terrain de six arpents par dix-huit arpents, lot 810 situé à Saint-Vallier de Bellechasse... Hé! Hé! Qu'est-ce que ça fait là ça?

BÂTON — Ça fait là que tout se sait un jour ou l'autre, le pére. On est plus des enfants d'école, torvis. Je «ride» pas mal dans le canton. Je connais tous les secrétaires des municipalités.

CASTOR — Mais moé, mon Bâton, tu me connais mal par exemple! Si tu penses que tu vas mettre la patte sur ce terrain-là! Après ce que tu as fait avec mon terrain de Lauzon! (*Aux autres.*) Il est allé en lotir plus que la moitié pour construire des petites maudites cages à lapins qu'il a vendu à des prix de château!

BÂTON — Des belles petites maisons modèles! (*Il se lève.*) Bon. Si y a pas moyen de moyenner, le pére, je sais ce qu'il me reste à faire. Pas de signature, pas de contrat. Pas de contrat, pas d'engagement à payer pour toé icitte. À moins que le terrain de Saint-Vallier me revienne...

CASTOR — Qu'est-ce que tu vas faire avec ce terrain-là? Tu vas lotir pis construire des cages à poules? Non Ti-Gars! Le terrain, je le garde!

BÂTON — C'est ben de valeur parce que t'aurais touché un p'tit moton. Y a une passe du torvis à faire! Ils vont passer l'autoroute dans ce coin-là.

CASTOR — Pis?

BÂTON — Je peux vendre vingt mille voyages de gravelle dans le moins. Je t'en donne la moitié.

CASTOR, *il entraîne Bâton à la fenêtre en le tirant par la manche* — T'as vu les tas dans la cour? On a tout ce qu'il nous faut en fait de gravelle icitte.

PICA — Une affaire en or, Castor. Penses-y deux fois.

CASTOR — Toé, tais-toé!

BÂTON — Tu signes le papier, je continue mes paiements au Soir Vert pis je te donne la moitié sur la vente de la gravelle. C'est une affaire honnête à mon avis. (*Il cherche appui dans le regard des autres.*)

ZIME — Ah, l'honnêteté ne se juge pas sur les paroles.

CASTOR — Saint-Épais de boîte à bouette! Anéantir ce beau terrain-là! Ce que tu sais pas, ti-gars, c'est qu'en-dessous de la gravelle, y a la plus belle eau pure du monde qui attend. La meilleure eau de la province, je l'ai faite analyser. Si t'avais pas rien que des trente sous qui te sonnent dans le ciboulot, tu comprendrais que c't'eau-là, c'est la vraie richesse pour les années qui vont venir. Qu'est-ce que t'en penses, Zime?

ZIME — L'eau pure est la boisson du sage.

CASTOR, *après un moment de surprise* — Rince-toé ça entre les dentiers, Bâton! Dans dix ans, quand le fleuve sera devenu le puisard du continent, nous autres on va être encore là pis on va avoir soif! Si c'est pas nous autres, ça sera nos fils.

BÂTON — Quels fils?

CASTOR — On a pas encore signé d'armistice avec le mariage. On peut encore faire emplette.

BÂTON — Voyons, le pére, tu ramollis, torvis!

CASTOR, *regardant Pica* — Compte-toé chanceux qu'y a des petites natures icitte dedans, parce que je te le montrerais, moé, si je ramollis, mon p'tit gueux!

BÂTON, *se relevant malaisément* — Maudits rhumatismes du diable! Bon. Dans ce cas-là, je fais ton admission aux Portes du Ciel. Ça coûte rien.

CASTOR — Les Portes du Ciel, c'est un foyer pour ceux qui vont mourir. Nous autres, on commence! Pis écoute-moé ben, mon Bâton. Tu te penses bon, hein, parce que tu fais tes piastres en fourrant le pauvre monde, mais Castor Morin, ton pére, est pas le dernier venu. Y a pas de signature sur ton papier, OK! Pas de signature, pas de contrat. Pas de contrat, je reprends ma propriété. Final bâton!

BÂTON, *rire jaune* — Voyons, le pére, tu nous mettras pas dehors?

CASTOR — Comment ça s'appelle ce que tu es en train de faire avec Castor?

BÂTON — Ça paraît que t'entends pas à rire. C'est une farce. C'était juste pour savoir si tu y tenais tant que ça à ton terrain. Le vrai contrat est chez le notaire.

PICA, *relaxant* — Ah! Ç'était pour rire! (*Soupir*.) On a manqué de te perdre, mon Castor!

ZIME — Un drôle d'humour.

CASTOR — Je me disais aussi qu'il finirait ben un jour ou l'autre par faire une farce, lui! (*À Bâton*.) Bon, si c'était une farce, assis-toé. Fume. T'es pas pressé.

BÂTON — Henrine...

CASTOR — Elle regardera sa nouvelle décoration pis ça va lui faire du bien de pas te voir le portrait pendant une heure.

PICA — Lâche un peu, Castor. Il faisait une farce!

CASTOR, *il regarde les autres avec un petit rire en coin* — J'ai un conseil à te demander, mon garçon.

BÂTON — Un conseil? (*Aux autres*.) Il a eu un accident, lui, dernièrement?

CASTOR, *il va chercher les pierres dans la chambre* — Ouais! J'ai eu un accident, Zario. J'étais à quatre pattes dans un tunnel pis v'là-t-y pas qu'un tas de roches me dégringole sur la tête!

BÂTON — Je vous l'avais ben dit... T'as eu le docteur?

CASTOR — J'avais mon casque de mineur. Toé qui es dans le commerce du gravier, tu pourrais peut-être nous éclairer sur la sorte de pierres qui ont failli casser la pipe de ton pére...

BÂTON — T'arrêteras jamais de rire du monde honnête, hein?

ZIME — Non, non, regardez bien M. Bâton. Nous aimerions savoir nous aussi.

PICA — On se pose des questions parce que ces pierres-là sont pas comme les autres.

BÂTON, *soupesant les pierres* — Ça pèse, hein?

CASTOR — Y a pas de plumes dans la terre, mon garçon.

BÂTON, *mettant ses lunettes* — Ça brille pas ordinaire. On dirait...

CASTOR, *prenant une pierre et la tournant dans la lumière* — On dirait quoi?

BÂTON, *de plus en plus ébahi* — Le pére! Ça se pourrait-i que ça soye de...

CASTOR — Une chose certaine, c'est que c'est pas du mica!

BÂTON, *il devient de plus en plus énervé. Il a chaud: il enlève son manteau. Il regarde les pierres en silence. Petits rires étouffés. Il regarde chacun dans les yeux, très sérieux* — Je pourrais peut-être les apporter pour les montrer au p'tit bijoutier Drouin...

CASTOR — Ça sort pas d'icitte!

PICA — Vous-même, qu'est-ce que vous en pensez?

BÂTON, *énervé* — Je connais pas ben ça... mais je connais ça juste assez pour dire que...

CASTOR — ...Que c'est pas de la broche à poules, hein?

BÂTON — Bout de ciarge, c'est de l'or, ça! D'où ça vient?

PICA — De notre entreprise.

CASTOR — Tiens, mon Pica, t'es d'aguette asteure! Le sens de la propriété te prend au vif! (*À Bâton.*) Ça, mon garçon, c'est de la belle or de mine. C'est le ventre de la terre qui a décidé de nous faire un p'tit cadeau parce qu'on a toujours été ben gentils avec elle, nous autres. On la démantibule pas en la rasant de sa gravelle.

BÂTON, *transformé* — Une mine? Où ça?

CASTOR — Une vraie mine ben claimée, ben creusée jusqu'au trésor.

BÂTON — Et qui vous appartient en personne?

CASTOR — Qui appartient à la Quebec Beaver Mining Inc. Les principaux actionnaires, tu les as en pleine face.

BÂTON — Qui a creusé?

CASTOR — Adjutor Morin en personne... (*Un œil à Pica.*)... pour le plus gros. Si c'est ce que tu veux savoir: y a pas un animal sauf nous autres qui a mis le nez dans le trou.

BÂTON — Il doit ben y avoir du monde qui est au courant? On creuse pas une mine de même sans se faire remarquer.

CASTOR — Madame Blanche est au courant du trou...

ZIME — ...mais madame Blanche ignore que l'huître porte une perle.

BÂTON, *regarde encore les pierres puis au bout d'un moment* — Bout de ciarge de torvis, la belle or!

PICA — C'est du pur à part ça!

BÂTON — Mais... vous êtes plus à des âges pour creuser...

CASTOR — Nous autres, notre travail est quasiment fini. Asteure qu'on a mis la région de Québec sur la carte minière de la Province, on a envie de mettre les Américains dans l'affaire.

Dis donc, Zime, c'est demain ou dimanche qu'on part pour les États?

ZIME, *met ses lunettes* — Attends, je mets mes yeux et je consulte l'agenda.

BÂTON, *se ravisant* — Non, je marche pas. Ça, c'est encore une farce du pére. Tout le monde sait qu'il y a pas d'or dans le bout de Québec.

CASTOR — Qu'est-ce que t'en sais? Les prospecteurs sont rendus avec les Esquimaux. Y en a pas un qui a eu assez de jarnigoine pour chercher dans sa cour.

BÂTON — Vous êtes pressés de vendre?

CASTOR — On est pas pressés de vendre, on est pressés de jouir.

BÂTON — Euh... dans le trou, ça brille?

PICA — Des filons gros comme mon p'tit doigt!

CASTOR — Filon... filon... toujours à voir en p'tit, hein? Dans le trou, y a un gisement! D'ailleurs, rien qu'à jeter un œil averti sur ces pierres-là, on voit ben que ça sort d'une mine qui en a dans le coffre.

BÂTON, *brutalement* — Combien?

CASTOR — Y a ben rien que le bon Dieu pis le diable qui le savent!

BÂTON — Combien vous demandez?

CASTOR, *faussement détaché* — Combien on demande, Zime, donc déjà?

ZIME — À moins d'un million, on fait un cadeau trop gros pour nos moyens...

PICA — Un million? On se fait rouler cent milles à l'heure!

ZIME — ...Les modalités de paiement restant évidemment à discuter.

BÂTON, *caresse un moment les pierres puis les*

*repose à regret sur la table* — Ouais! J'ai pas vu le trou, mais... un million... moé personnellement, c'est pas dans mes cordes pantoute!

CASTOR, *à Pica et à Zime* — Écoutez, les gars. Mon garçon Bâton... excusez... Zario... mon fils Zario... aime ben faire son amusard de temps en temps, mais c'est pas un mauvais chien. Il a toujours été sérieux pis y a toujours vu à son affaire. Depuis six ans que je suis icitte, y a jamais passé un paiement. Il vient pas nous voir souvent, c'est son affaire; un contracteur, ça sait pas où donner de la tête, tout le monde sait ça. Je le comprends. Ton fils non plus, Zime, use pas les planchers du Soir Vert. Pis on a jamais vu la binette de la fille à Pica. On serait sans cœur comme le cap qui est là si on donnait pas une préférence de vente à un jeune Canayen smatte de la patte comme c't'homme-là. Même qu'on pourrait penser à raser le prix.

BÂTON, *se rengorge* — La mine, ça se visite quand?

CASTOR — Dret là, si tu veux.

BÂTON — À la grande noirceur?

CASTOR, *va rapidement chercher veste, casquette et lampe de poche* — Avec une bonne «chasse-light» dans un tunnel, on est comme en plein jour. Arrive, Zario, mon garçon. Pis si t'as des lunettes noires, mets-les parce que dans la mine y a des brillances qui percent les yeux!

*Ils sortent.*

PICA — Zime, on peut pas le laisser fourrer son propre garçon!

ZIME, *réfléchit* — Depuis des milliers d'années, ce sont les fils qui roulent leur père et c'est dans l'ordre des choses. Castor s'apprête à venger des millénaires d'injustice. C'est aussi dans l'ordre des choses.

*Noir.*

# TROISIÈME PARTIE

# La fête

## SEPTIÈME TABLEAU

*Même décor. Zime est en train de mettre la dernière main à un coffre de bois. Il a revêtu un beau tablier de cuir neuf. Pica est en train de regarder les poissons rouges dans un bocal qu'on a placé sur un guéridon.*

PICA — Zime, on dirait qu'il me regarde.

ZIME, *travaillant* — Ah oui?

PICA — Toé qui connais les animaux, penses-tu que ça nous parle?

ZIME — Peut-être.

PICA — J'sais pas si ces bêtes-là vivent ben vieilles?

ZIME — Je me suis laissé dire que certains poissons vivent plus de cent ans.

PICA — Tant que ça?

ZIME — Il y a quelques années, on a retrouvé une baleine qui portait dans sa chair un harpon vieux de 300 ans. Mais tu me diras avec raison: les baleines ne sont pas des poissons.

PICA — Sais-tu pourquoi ils vivent aussi vieux dans l'eau?

ZIME — C'est le secret du Créateur.

PICA — Les courants d'air, voyons! S'il y a une place où y a pas de courants d'air, c'est ben en-dessous de l'eau! C'est les courants d'air qui nous tuent, nous autres, je l'ai toujours dit! Dès qu'on devient sur l'âge, ils devraient nous shipper dans les îles chaudes, dans le Grand Su! Des courants d'air chaud, c'est sûrement moins traître que les nôtres. (*Il regarde par la fenêtre*.) Il paraît que l'hiver va être ben malin c't'année.

ZIME — Nous serons très bien ici, cet hiver, tu verras.

PICA — Moé, j'ai pas encore mis une croix sur mon voyage en Haïtiti!

ZIME — J'ai toujours eu pour mon dire que faute de soleil, on doit pouvoir aussi bien pousser dans la glace.

PICA — As-tu déjà vu des millionnaires passer l'hiver dans le Pôle Nord, toé? T'as rien qu'à regarder les Esquimaux; ça lâche à des 25-30 ans. Si on veut vivre, faut partir à la chaleur.

*Gagouette entre, apportant un beau cadre représentant Pica jeune.*

GAGOUETTE — Bonsoir, mes chéris.

ZIME — Bonsoir, Gagouette.

PICA, *apercevant le cadre* — Madame Blanche a voulu?

GAGOUETTE — À la condition que ce soit la dernière fois. Les murs doivent rester blancs et purs. L'hygiène est la sécurité du troisième âge, qu'elle a dit.

ZIME — Très sensé.

PICA — Tu apprendras, Gagouette, que Roméo Paquette a jamais sali personne. (*Regardant son portrait avec émotion.*) À trente ans, quand j'étais le plus jeune inspecteur des Ports nationaux, j'étais l'homme le plus honnête de Québec. S'il y a une face au monde faite pour donner envie d'être honnête, mon Roméo, c'est ben la tienne !

GAGOUETTE — Vous étiez beau sans bon sens...

PICA — Tu penses ?

GAGOUETTE — Vous avez dû en faire battre des cœurs ?

PICA — C'est encore drôle, c'est encore drôle ! Je passe pas mon temps à me vanter de mes déportements, moé !

*Pica va prendre un outil dans le coffre de Zime et se met en frais de suspendre le cadre.*

GAGOUETTE — Non, non, monsieur Pica, votre santé ne le permet pas. Laissez-moi faire.

PICA — Comment, ma santé ? Si je suis pas capable de me monter dret en face de la binette à Morin, aussi ben aller me sacrer en bas du cap ! (*Indiquant un mur resté vierge.*) Il reste de la place pour accrocher le tien, Zime.

ZIME, *polissant son bois* — Je ne veux pas te blesser, mon ami, mais, tu sais, j'ai passé l'âge de me regarder dans le miroir.

PICA, *debout sur une chaise, installe son cadre* — Pour le paiement du cadre, Gagouette, ça tardera pas. La Compagnie est en train de négocier un gros contrat !

GAGOUETTE — C'est en rapport avec la mine de M. Castor ?

PICA — Notre mine !

ZIME — Tout le monde sera bientôt mis au courant des activités de la Quebec Beaver Mining...

PICA — ...incorporée !

GAGOUETTE — Excusez-moi. J'ai peut-être été indiscrète...

PICA — En tous les cas, y a du gros nouveau qui s'en vient... (*En descendant de sa chaise, Pica plie en deux en se tenant la poitrine.*) Zime ! J'ai du gros nouveau en dedans des côtes, bourzaille !

*Zime s'est approché.*

GAGOUETTE — Vous ne vous sentez pas bien, monsieur Pica ?

ZIME, *très attentif* — Respire bien, mon ami. Détends-toi.

GAGOUETTE — Je cours prévenir madame Blanche.

PICA — Non, non, pas besoin. Ça diminue de serrer dans l'estomac.

ZIME — Essaie donc un peu le Grand Souffle perdu. Respire profondément.

PICA, *il respire* — Ça va mieux. Dérange pas madame Blanche. Ça passe. (*Il va s'asseoir dans sa berçante.*) Maudit que j'aime pas ça !

*Entrée soudaine de Fine, très pétillante, apportant des décorations de fête.*

FINE — Bonjour, mes beaux trésors en or!

ZIME, *son regard s'éclaire* — Oh bonjour, mademoiselle Fine!

PICA — Vous êtes au courant?

FINE — Au courant de quoi?

PICA — De la Quebec Beaver?

FINE — Non... euh... c'est-à-dire très peu...

GAGOUETTE, *qui déjà aide Fine à installer banderolles et serpentins* — Plus tard nous serons mises au courant des activités de la compagnie. (*Avec un clin d'œil.*)

ZIME — C'est à cause du «beaux trésors en or». Nous sommes peu habitués à ces coûteuses marques d'estime.

FINE — Il faudra vous y faire. Ce soir, la salle n° 4 est en fête. M. Castor est bien absent, n'est-ce pas?

PICA — Il est en négociation.

FINE — Vous saviez qu'aujourd'hui il a 85 ans?

ZIME — On l'a appris, oui.

PICA — Mais il paraît qu'il faut mettre les chiffres à l'envers.

FINE — Ce soir, nous fêtons votre compagnon, mais à travers lui, c'est surtout la jeunesse prolongée, la santé tardive, en un mot le Soir Vert que nous voulons célébrer.

GAGOUETTE — Ce soir, la femme rend hommage à la vitalité bien conservée de l'homme. Hum... c'est bien comme ça qu'il faut dire, mademoiselle Fine?

ZIME — Quelles femmes gentilles!

FINE, *terminant son travail* — Mettez-vous sur

votre trente-six. Ce soir, tout le monde est en beauté. Au revoir, mes beaux choux!

*Elles sortent.*

PICA, *montrant son portrait* — Moé, c'est quasi déjà fait. (*Il s'adresse au portrait de Castor.*) Regarde, mon Morin, y a pas rien que toé qui est resté vert. Regarde-le comme il faut, ton associé. Il a de l'allure quand il veut!

CASTOR, *apparaissant dans le cadre de la porte, les cheveux teints, portant un grand sac et une valise* — Pis ton associé, Pica, quand il s'y met, quelle allure il a, tu penses?

PICA, *portant la main à son cœur* — Hé! Surprends-moé pas le cœur de même ben souvent! (*Regarde Castor.*) Qu'est-ce qu'il a de changé, lui?

ZIME, *levant à peine les yeux* — Eh ben! Où tu as mis tes années?

CASTOR — J'ai demandé au p'tit barbier du haut de la côte de m'enlever un peu de neige sur le top du boguey!

ZIME, *travaillant* — Si les cheveux blancs parlaient, ils diraient: nous sommes là pour rester.

CASTOR — En tous cas, ça fait plus ressemblant avec l'âge de mes altères! Toé qui as rampé toute ta vie, Pica...

PICA — Commence pas, veux-tu!

CASTOR — ...Sais-tu pourquoi les serpents vivent plus de cent ans? Parce qu'ils changent de peau, mon jeune! (*Aperçoit les décorations.*) Saint-Épais, les gars, vous avez eu la même idée que moé! Une belle p'tite fête, une tombola, pour marquer l'événement! (*Montrant le sac.*) J'suis même allé quérir le puits!

PICA — Pis? Raconte, cul!

ZIME, *sans lever les yeux de son ouvrage* — Du nouveau?

CASTOR, *prenant son temps* — J'suis certain que vous serez d'accord avec moé pour dire que le Bâton est pas donneux-donneux. Il faut lui pomper ça goutte par goutte. Mais quand on a passé cinquante ans de sa vie dans les puits, on est habitué de voir si un gars a du liquide ou non.

PICA — Pis?

CASTOR — J'pense qu'on l'a enfiolé jusqu'au goulot!

PICA — Qu'est-ce que ça veut dire?

CASTOR — On l'a gratté comme il faut ousque ça lui démangeait!

PICA — Il a signé?

CASTOR — Ouais!

ZIME — Combien?

CASTOR — Il dépoche 75 000 belles piastres. Ça, c'est le papier. Tout de suite, j'ai réussi, pis ça a pas été dans du beurre, j'ai réussi à lui faire cracher dix mille belles faces de reine. Un autre dix mille dans deux mois. (*Il ouvre la petite valise.*) À part ça, la meilleure nouvelle pour nous autres, c'est qu'il commence les travaux rien que l'été prochain. Comprenez-vous? (*Il sort l'argent.*) En avez-vous déjà vu autant?

PICA, *s'approche* — Non. Mais... on est loin du million!

CASTOR — Y a toutes sortes de millionnaires, Pica! Y a des millionnaires qui ont jamais une cenne dans leurs poches. Tout est investi d'un bord pis de l'autre. Nous autres, on serait dans le genre millionnaire riche! L'argent, on l'a! En avez-vous déjà vu autant?

PICA — Moé qui ai déjà fait des affaires... jamais!

CASTOR, *distribuant les liasses* — V'la votre part. Faites-en ce que vous voulez!

PICA — Euh... qu'est-ce qu'on fait quand on est riche?

ZIME — Tu continues à faire ton devoir d'état!

CASTOR, *s'assoit dans sa berçante et fume son cigare* — Quand on est riche, mon Pica, on s'assoit pis on se berce jusqu'à temps que ça vienne.

PICA — Quoi?

CASTOR — Dans le dedans d'un homme, y a un noyau! Dans ce noyau-là, c'est plein de p'tits bonheurs gênés qui ont jamais osé se déplier au travers des années. C'est rempli de désirs raboudinés par les privations. Ça grouille en dedans, dans un dedans qui est tellement loin que tu peux pas voir jusque-là. Mais c'est vivant en saint-Épais, ce noyau-là! Ça pousse. C'est comme l'eau qui voyage en d'sous de la terre. Tant que t'as pas creusé un puits, elle peut pas sortir.

PICA — Qu'est-ce que ça vient faire avec l'argent?

CASTOR — Quand tu deviens riche, on dirait que tu te trouves en meilleure disposition de creuser dans le noyau pis de laisser l'eau rebondir. T'as pas peur de creuser parce que l'eau, tu sais ce que tu vas en faire!

PICA — Me semble, moé, qu'on est en meilleure santé. C'est drôle: les fourmis m'ont lâché la main.

CASTOR — Un gars comme nous autres qui tombe dans la fortune du jour au lendemain, on dirait qu'il sent son noyau ! Par exemple, il a pas peur de revenir dans son p'tit temps. As-tu remarqué ça, toé, Zime ? Ce serait comme un millionnaire qui déciderait un beau matin d'aller faire un tour dans le village de ses jeunes années. Il parque son Cadillac en pleine face de l'église, il marche tranquillement dans sa belle habit à queue de morue, dans ses souliers en cuir à patente, il salue tout le monde en les regardant en plein dans le trou des yeux. Pas gêné pour une cenne. Il salue même les gens qui ont été chiens avec lui.

PICA — C'est vrai. On n'a plus de rancune, hein ?

CASTOR — Qu'est-ce que tu penses de ça, toé, Zime ?

ZIME, *travaillant* — Oh moi, j'échafaude !

CASTOR — T'es en train de grimper dans une échelle que mademoiselle Fine s'est faite à son bas de nylon ? (*Rires*)

ZIME — On n'a pas tous les mêmes préoccupations dans la vie. Je n'ai plus de la femme la même idée que j'avais à vingt ans.

CASTOR — En tous cas, moé, je finirai pas mes jours tout seul dans mon veuvage comme un serin ! (*Il indique Petit Soleil.*) M'en vas me faire venir une belle petite femme dans le catalogue chez Eaton... qui va me faire chanter jusqu'au bout. Pour qu'une plante pousse dru, faut la planter dans sa terre naturelle. La terre naturelle d'un homme, c'est la créature. Quand tu coupes une plante pis que tu la mets dans l'eau, qu'est-ce qu'elle fait ?

ZIME — Elle fait des racines.

CASTOR — Elle cherche la terre, c'est ben ça. Nous autres, les veufs, on fait des racines dans le noyau. Personne voit ça. Pis oubliez pas qu'un gars riche peut organiser n'importe quelle tombola en criant caribou! Il claque du doigt, la boisson arrive. La compagnie se trémousse. Toé, t'es là, au beau milieu du plaisir général, tu te promènes, tu pinces une fesse, tu donnes une p'tite tape sur une joue tendre, tu donnes des rendez-vous, tu garroches des mauvaises pensées d'un bord pis de l'autre, tu rencontres des vieux chums que t'as pas vus depuis la guerre. Quand t'es riche, tu sors, t'es connu, le monde va chez vous. Morgueux que ça fait du bien de se sentir déborder le noyau! On fournit pas d'être ben.

PICA — Les gars, ça remonte! Un vieux désir! Tellement vieux que je l'avais complètement oublié. Un vrai désir de riche...

CASTOR — Raconte pis dépêche!

PICA — Faut absolument que je me fasse masser! Quand j'étais p'tit, j'avais eu un accident dans la colonne dorsale. Le docteur avait demandé à ma mère de me masser tous les jours.

CASTOR — Sapré Paquette! Tu prends le tour vite, mon morgueux!

ZIME, *quittant son ouvrage* — Pica, mon ami, tu me rappelles. J'ai une petite merveille pour toi.

CASTOR — Hein?

ZIME — Une invitation au massage-friction que j'ai composée moi-même en poésie.

*Il va dans la chambre.*

CASTOR — Dire que si on était restés pauvres, toé pis moé, on se serait jamais entendus...

ZIME, *apparaissant dans la porte* — Comme larrons en foire...

CASTOR — Voyons, Zime! C'est pas un vol qu'on a fait là, c'est une passe. C'est pas pareil!

PICA — En tous les cas, si c'est un vol, moé, je me dissocie tout de suite. J'ai pas été le gars le plus honnête de Québec pour finir mes jours en prison.

ZIME, *lisant sur une feuille* — Écoute ça, Pica.


De notre corps la mince et frêle écorce
Respire aussi et pour rester en force...


*Pica porte la main à sa poitrine et plie en deux sur sa chaise.*


PICA — Eh, les gars, je vois tout en éblouissement! J'ai une bombe de vinaigre là-dedans...

CASTOR, *embarrassé et impuissant* — Pica, morgueux!

ZIME — Tu ne te sens pas bien? Je vais chercher madame Blanche.

PICA — Oui, oui, vas-y...

CASTOR, *soutient Pica, gauche et énervé par son impuissance* — Fais-nous pas dans les mains de même! C'est pas le temps de te laisser gagner par les maladies. On commence à vivre, morgueux!

PICA — Je vas-t'y m'en aller, Castor?

CASTOR — Es-tu fou, toé? T'as encore la couche aux fesses!

*Blanche entre, vêtue d'une sorte de sarrau blanc comme en portent les médecins. Elle se penche maternellement sur Pica et l'ausculte longuement.*

BLANCHE — C'est bien ici que vous avez mal? (*Pica ne quitte pas le visage de Blanche de ses yeux inquiets.*) Je crois que la crise est passée. Ce n'est pas si grave que ça en a l'air. Venez vous étendre quelques minutes.

*Les trois le soutiennent et le conduisent vers la chambre.*

ZIME — Respire bien, mon Pica. Ça va aller, tu verras.

*Blanche, en sortant, rencontre Gagouette qui arrive en courant. Elle l'entraîne à l'avant-scène.*

BLANCHE — La fête aura lieu quand même. Allons prévenir mademoiselle Fine. Il devient nécessaire de mettre en œuvre le Processus d'Allégement. Le processus complet. (*Elles sortent.*)

*Noir.*

## HUITIÈME TABLEAU

*Entre, sans prévenir, Camard, portant une petite boîte en carton.*

CAMARD — Monsieur Bergeron est là?

ZIME — Oui, oui.

CAMARD — Je me suis permis de venir sans avertir... Je vous apporte une petite merveille. Une petite chatte d'une gentillesse, d'une finesse, d'une race...

CASTOR — Pas morte, au moins?

CAMARD — Mais... mon métier sert justement à redonner une seconde vie à ce qui a perdu la première. Ah, monsieur Bergeron! Quand vous verrez Moïsette!

ZIME — Voyez-vous, monsieur Camard, nous préférons les présences vivantes.

CASTOR — Un caprice de millionnaire.

CAMARD — Où est Ulysse?

CASTOR — Un vlimeux, votre Ulysse!

ZIME — Il a passé une petite chienne chiwawa dans le pied du cap...

CASTOR — ...Le chien est parti en bale d'échalotte! Plus de nouvelles.

CAMARD — Que vous arrive-t-il, monsieur Bergeron? Je vous ai pourtant bien servi?

ZIME — Nous recommençons une nouvelle vie.

CASTOR, *sortant de ses réflexions* — Boîte à bouette! Je l'ai! La tête à Phrem Barras!

CAMARD — Qu'est-ce qui vous prend, monsieur?

CASTOR, *à Camard* — Là je me rappelle où c'est

95

que que je vous ai vu le portrait, vous! La tête
à Phrem Barras, ça vous dit rien?

CAMARD — Barras? Je ne connais personne de
ce nom.

CASTOR — Phrem Barras de Saint-Pierre de l'Île?
C'était mon employé dans les premiers temps
que je *runnais* ma machine à puits. On était en
train de creuser dans le bout de l'Île. Du terrain
dur, morgueux, du vrai granit. La drille restait
toujours accrochée dans le trou. Un après-midi,
j'avais déroulé le câble d'acier pour me donner
de l'allant. Phrem était là, grand'gueule comme
toujours, la tête au-dessus du tuyau, en devoir
d'expliquer aux curieux ce qui se passait. Moé,
j'étais en avant de la machine, aux commandes.
Je lui crie: «Ôte-toé de là, Barras, je donne le
grand coup!» En disant ça, la poignée me
lâche des mains, ça s'embraye, ça, les garçons,
le câble devient en queue de veau, ça se
tourne autour du cou à Phrem! Paf! (*À Camard.*)
C'est vous qui avez attrapé la tête qui a revolé
comme une pomme. Attendez... c'est pas d'hier,
c'est juste avant la guerre.

CAMARD — Je suis beaucoup trop jeune, vous
voyez bien.

CASTOR, *se lève et s'approche* — Ouais! En tous
cas le gars qui a poigné la tête à Phrem vous
ressemblait comme un poisson rouge ressemble
à un autre poisson rouge. À moins que... vous
conduisiez pas une «crane», vous au chantier
maritime, juste après la guerre?

CAMARD — Absolument pas.

CASTOR — Parce que le gars qui avait laissé tomber une plaque d'acier grande comme un drap de

lit sur la tête d'une dizaine de p'tits chauffeurs de rivets, il vous ressemblait sans bon sens! Vous êtes sûr que c'est pas vous? Parce que moé, la face du gars, elle est restée gravée là comme un tatouage sur la bedaine d'un soldat.

CAMARD — Jamais je n'ai travaillé dans un chantier maritime.

CASTOR — En tous cas, vous avez le don de ressembler à ben du monde! Ça doit vous jouer des tours sans bon sens?

CAMARD, *déviant la conversation* — Alors, monsieur Bergeron, vous êtes certain que vous ne voulez pas voir Moïsette?

ZIME — De toute manière, il faut choisir, les oiseaux ou les chats. Nous avons préféré les ailes aux griffes.

CAMARD — Il ne me reste plus qu'à vous assurer de ma plus entière disponibilité, messieurs.

ZIME — Au revoir, monsieur Camard. (*Un temps.*) Si jamais vous vous lancez dans l'animal vivant...

CASTOR — ...faites-nous signe.

CAMARD — Je n'y manquerai pas, messieurs, je vous assure.

*Il sort.*

*Noir.*

# DIXIÈME TABLEAU

*Castor se berce. Zime vient de terminer son coffre de bois. Il enlève son tablier de cuir.*

ZIME — Voilà. Terminé. Reste plus rien qu'à le vernir. Qu'est-ce que tu en penses?

CASTOR, *se lève, va toucher le coffre, le palpe* — Sais-tu que t'as le compas dans l'œil? T'aurais de l'avenir dans la menuiserie, mon garçon. Ça fait-y du bien de toucher du bon bois raboté pis sablé avec patience. Ouais! C'est ben fait, ça. Pis les mortaises arrivent «flush» comme des bouchons de liège dans un goulot!

ZIME — Je crois que je vais me commander du beau pin clair de nœuds. J'ai envie de me construire une belle armoire.

*Pica sort de la chambre magnifiquement vêtu de son nouveau costume blanc tropical.*

CASTOR — Wow! Un p'tit pére blanc en civil! À moins que t'aies envie d'aller annoncer du café à la tivi, mon Pica!

PICA — C'est comme ça qu'on s'habille en Haïtiti quand on est en haut de l'échelle. Il paraît que les comptables s'habillent de même là-bas.

CASTOR — En tous cas, t'es beau comme une fesse de sœur!

ZIME — Tu te sens bien, mon ami?

PICA — Ça va aller, je pense.

CASTOR — Assisez-vous donc. On va aller pêcher des folies de riches par en-dedans! (*Tous *trois se bercent.*) Qu'est-ce qui remonte, toé, Pica?

PICA — Haïtiti, cul! Je me vois tout fin seul sur une belle plage blanche. Les houles qui frissonnent à perte de vue...

CASTOR — Te vois-tu en veuf?

PICA — Ben... laisse-moé marcher un peu. C'est tellement bon de se retrouver tout seul. Je marche, je marche. Tout d'un coup, je m'arrête. Il fait chaud, bourzaille! Je m'assis sur un petit tas de roches plates, j'ôte ma calotte, je m'éponge le front, les yeux perdus sur le dos de la mer qui n'en finit pas d'être bleue. Mais! Qu'est-ce que je vois là, Castor, juste derrière le p'tit rocher? Chut! Y a une femme couchée sur le ventre en train de se faire «routir» au soleil...

CASTOR — C'est qui?

PICA — Je peux pas vous le dire, les gars, ça se dit pas. Je peux pas salir la réputation de c'te femme-là, moé!

CASTOR — Les hommes riches ont pas de secrets entre eux autres! Pas vrai, Zime? Un homme riche a rien à craindre.

ZIME — Avec une bourse au cou, personne ne peut être pendu.

CASTOR — T'as entendu ce que Zime a dit?

PICA — C'est... c'est madame Blanche.

CASTOR — La snoraude! Qu'est-ce qu'elle fait là, elle?

PICA — Elle est là. C'est tout ce que je sais.

CASTOR — Ça te fait plaisir, hein? Elle t'accroche le fil d'en bas!

PICA — Le fil... le fil... t'apprendras que c'est pas les grands jacks qui sont «wirés» en plus gros!

CASTOR — Pis toé, Zime?

ZIME — Bien... j'étais avec toi, Pica. Je suis rendu dans les Îles moi aussi. Un peu malgré moi, il est vrai. Je n'ai jamais été particulièrement attiré par les voyages. En tous les cas, je chasse des papillons grands comme des cartes de Noël.

CASTOR — Tout seul?

ZIME — Voyons, les amis, bien sûr que je suis seul. Un vieux veuf de 70 ans.

CASTOR — Dis-le donc, Zime, que mademoiselle Fine est dans les parages.

ZIME — Voyons!

CASTOR — T'es riche, asteure, Zime. C'est permis. Tu peux te montrer au grand jour avec qui tu veux.

ZIME — Non, vraiment, à 70 ans, c'est trop ridicule.

CASTOR — À 70, à 80 ans, c'est ridicule quand on est pauvre. Quand on est millionnaire, on est hors d'âge. Ce qui serait ridicule pour un riche de 70 ans, ce serait de vivre caché comme un taouin! Pis toé qui connais les añimaux comme ta barbe, tu devrais ben savoir que c'est toujours le plus vieux «boc» qui attire toutes les femmes à lui. Y en a pas une qui barlandine. Ça se garroche comme des braquettes sur un fer aimanté. Les vieux museaux, elles sont folles de ça!

PICA — Cul de viarge, Castor, slack un peu! T'es en train de tout nous virer en envers! T'es en frais de mettre des balles dans notre fusil, pis on a même plus le droit de tirer.

CASTOR — Vous autres, les jeunes, faut toujours que vous hâliez sur les cordeaux jusqu'au temps que le cheval en bave. Laissez donc la pauvre bête pogner le trot si ça lui tente. (*En colère, il se lève et va sortir les bouteilles du sac. Il en débouche une et boit une lampée à même le goulot.*) Si je pogne pas le trot avec ça, moé!

ZIME — D'après ce que tu nous a dit, il y a quinze ans que tu as cessé de boire.

CASTOR — En quoi! J'ai eu le temps de me refaire la boîte à gin! J'suis paré à en prendre, asteure, comme un baril de chêne qui sort de la boutique. Voyons, Zime, un p'tit coup de blanc, de temps en temps, ça va juste nous mettre sur le sens.

ZIME — La boisson enflamme la discorde. On n'a pas besoin de ça.

CASTOR — On n'est pas obligé de tomber dans le «guillaume trop mince» pis de se noyer dedans.

ZIME — Oh, tu sais, dans ce domaine-là, les promesses...

CASTOR — J'ai déjà appris à nager dans la grand' tasse pis dans la p'tite! À part ça, as-tu déjà vu un millionnaire qui prend pas sa petite lampée? Tiens, Zime, un doigt!

ZIME — Les millionnaires font boire, mais ne boivent pas. C'est pour ça d'ailleurs qu'ils deviennent millionnaires.

CASTOR — Saint-Épais de saint ciboire, es-tu un homme? T'aimerais peut-être mieux qu'on te donne un verre de lait? (*En colère, il va verser le contenu du verre dans le bocal des poissons.*)

ZIME — Eh! Qu'est-ce que tu fais?

CASTOR — Penses-tu qu'ils vont en crever? Regarde. Ils aiment ça, les morgueux! Les babines leur en fortillent. Si c'est bon pour les petits, c'est bon pour les gros. Envoye, Zime, verrat, mets-toé le cœur au chaud.

ZIME — Non, merci.

CASTOR, *prépare un verre pour Pica* — Fouette-toé les sangs un peu. T'es pâle comme un lièvre des Avents!

PICA — Tu dois ben savoir que c'est pas dans mon régime.

CASTOR — Un poêle qu'on chauffe pas s'encrasse! Envoye!

*Zime sort pour changer de costume. Pica en profite pour accepter le verre.*

PICA — Sais-tu que c'est bon en bourzaille, ce p'tit blanc-là!

CASTOR — À lever la parche!

ZIME, *qui revient* — Avant que ce dévergondage aille trop loin, j'aimerais vous prévenir: tour de force, tour de fou.

CASTOR — Qu'est-ce que tu veux dire par là?

ZIME — À notre âge, tout excès est irréparable.

CASTOR — Sais-tu, Zime, que t'es peut-être mort pis que tu le sais pas? (*Pica le regarde intensément.*) Ou ben que t'as dessein d'être canonisé sur quelque autel d'église? Ce serait dommage: un p'tit gars smatte comme toé. On est bâti pour vivre cent ans dans le minimum, ça se voit pas?

ZIME — Nous sommes tous bâtis pour vivre cent ans. Les passions nous débâtissent.

*Entre Gagouette en toilette.*

GAGOUETTE — Bonsoir messieurs. On se croirait aux noces.

CASTOR — Mais on est aux noces! À soir, on passe un contrat avec la vie! Morgueux que t'es belle, mon p'tit écureux. Par chance que je me suis réveillé les organes par en dedans : on pourrait se penser en apparition.

GAGOUETTE — Je peux vous embrasser?

CASTOR — Et comment! Pis j'ai la face rasée rase comme du dedans de cuisse!

*Elle les embrasse tous les trois à tour de rôle.*

PICA — Bourzaille que c'est bon!

GAGOUETTE — Vous ne résistez plus, monsieur Pica?

PICA, *levant son verre en riant* — C'est le maudit Morin qui m'a mis de l'eau sur les brakes!

GAGOUETTE, *embrasse Zime* — Il paraît, monsieur Onésime, que vous avez terminé votre beau coffre en bois?

ZIME, *montrant le coffre* — Tu l'aimes? Il est à toi. Pour ton trousseau.

CASTOR — Si c'est pour ton trousseau, aussi ben le remplir dret là, parce qu'y a de la noce dans l'air! (*Il sort une bouteille de champagne.*) Pis j'ai un bon boire pour les gosiers doux! La boisson des millionnaires, qu'ils m'ont dit à la Commission.

GAGOUETTE — Du champagne! Hum... vos actions sont à la hausse!

PICA — Il paraît que la bourse de Québec est toute à l'envers depuis qu'on est arrivé en affaires!

103

CASTOR — Prends garde à tes dentiers, Pica! Ça pète en démon, ces boissons-là! (*Le bouchon saute.*) De la belle crème à débauche, regardez-moé ça brouter!

ZIME — Pour vous accompagner, j'accepterais bien un verre de champagne.

CASTOR — Là, tu fais plaisir à Castor! (*À Gagouette.*) Ça met la rigouaiche en dévotion, hein, mon p'tit chat? Vas-y, vas-y, y en a pour faire pétiller les fins pis les fous!

*Castor remarque un bijou suspendu au cou de Gagouette. Il touche.*

CASTOR — Il peut pas être mieux placé! C'est pas mêlant, j'aimerais finir mes jours pendu à c'te chaîne-là, moé. Je me balancerais d'un soleil à l'autre entre les deux buttons de la Gagouette. Pis la nuit, je ferais mon « nic » dans le sentier défendu.

GAGOUETTE — Ah, maintenant je comprends pourquoi vous m'avez donné ce nom-là! Vous trouvez vraiment que j'ai une trop grosse poitrine?

PICA — Ça, mon enfant, c'est jamais trop gros.

CASTOR — De toute manière, mon p'tit chat, ces choses-là, ça te regarde pas. C'est pas pour toé. Une gagouette de créature, c'est pour les autres que c'est faite. Pour les p'tits monsieurs, pour les p'tits bébés, pour les p'tits papas...

PICA — ...pis les grands-papas!

CASTOR — Écoutez-le donc, lui, avec son esprit d'épinette! Il parle comme un qui aurait des goûts. Aie pas peur, Gagouette, si tu te fais demander en mariage, icitte à soir, c'est pas par ces deux-là!

*Apparaît Blanche dans une robe somptueuse et provocante.*

PICA — Une deuxième apparition!

BLANCHE, *souriante* — Je n'ai jamais autant entendu parler de mariage. Vous avez raison, messieurs. Rien ne vaut les projets. (*Tous la regardent héberlués.*) Vous me trouvez ravie de vous voir aussi joyeux, aussi entreprenants. (*Elle s'avance vers Castor.*) On me dit que c'est vous qui avez eu l'idée d'organiser cette petite fête, monsieur Morin. Je vous remercie de m'avoir invitée...

CASTOR, *ne comprend pas trop* — Euh... c'est pas tous les jours qu'on monte un barreau dans la société.

*Elle s'avance vers Pica.*

BLANCHE — Monsieur Paquette, vous êtes resplendissant. On vous donnerait dix ans de moins. L'argent vous va très bien.

PICA — Tout de même! J'suis pas à bout d'âge comme ces deux-là! J'ai rien que 67 ans.

CASTOR — C'est tout ce que t'as à dire, Pica!

PICA, *à Blanche* — Vous êtes très belle à soir...

BLANCHE — Je vous remercie, mais vous n'avez rien vu!

PICA — Ah!

BLANCHE — Et vous, monsieur Bergeron, vous nous fabriquez de beaux objets? Permettez que je vous embrasse. J'aime beaucoup que mes hommes continuent à exercer leurs talents. (*À l'oreille.*) Je vous réserve une belle surprise !

ZIME — Ah !

*Tous les trois la regardent en silence. Ils n'en reviennent pas.*

PICA, *s'approche de Castor* — Je pensais que ça faisait mal de passer. En fait, on sent absolument rien. La première chose qu'on sait, c'est qu'on est de l'autre bord, qu'on est dans le ciel, qu'on est dans la douceur jusqu'aux yeux.

CASTOR — Ben... si la mort c'est ça, tout ce qu'on peut dire, c'est que c'est morgueusement plus vivant que la vie ! (*Il sert un verre de champagne à Blanche.*) À notre arrivée dans le ciel !

GAGOUETTE — Voyons, monsieur Castor, est-ce que j'ai l'air d'une sainte ?

CASTOR — On sait jamais. Personne est venu nous dire comment c'était de l'autre côté.

BLANCHE — Mais non, mais non, mes chers amis, vous êtes bel et bien en vie, bien sur terre.

PICA, *fait un clin d'œil à Castor* — Qu'est-ce qui nous le prouve ?

BLANCHE — Nous ! Notre présence ! Nous sommes des femmes bien en chair, bien en vie ! Écoutez froufrouter le tissu de nos robes, humez nos parfums...

PICA — Moé, pour ben dire, faudrait que je touche !

BLANCHE, *s'approchant* — Cher Thomas, va ! Oh, mais j'espère que vous n'irez pas jusque-là !

PICA — Vous ne vous fâchez pas ? Vous ne nous punissez pas ?

CASTOR — Les créatures sont pas toutes des grébiches à voix d'harpie comme ta Mathilda ! Y a du monde qui sait vivre ! (*Il boit.*)

BLANCHE — Vous ne touchez pas, monsieur Roméo ?

PICA — Euh... je suis certain, asteure, que c'est la vraie vie... Moé, c'est pas mêlant... (*Il enfile un coup de blanc.*)

ZIME, *parlant à Petit Soleil* — Mon cher petit... hic... mon oncle Onésime ne comprend plus rien du tout. Si j'allais me percher avec toi, tout deviendrait plus simple, il me semble.

BLANCHE, *levant son verre* — Messieurs, je bois ce bon vin à vos meilleures années qui sont encore à venir dans la chaleur amicale de cette maison. Je bois à notre bonne entente. À l'œuvre de ma vie. Je bois au Soir Vert !

TOUS — Au Soir Vert !

CASTOR — À la richesse qui nous donne l'amour.

PICA — Au p'tit vent chaudasse qui caresse les plages d'Haïtiti !

BLANCHE — Buvons à tout ce qui réconforte.

CASTOR — Aux femmes !

GAGOUETTE — À ceux qui les aiment et à ceux qu'elles adorent.

CASTOR — Arrêtez-moé ça, morgueux ! Il va falloir que je me marie dret-là !

ZIME, *un peu chancelant* — Puisqu'il faut boire, acceptez, messieurs, mesdames, que je lève mon verre et que je porte un toast à la santé...

CASTOR — À la santé de qui, Zime ?

ZIME — À la santé! À celle qui nous permet de la voir, ce soir, en si belle forme.

TOUS — À la santé!

CASTOR, *saisissant furtivement Gagouette par la taille* — Et à la belle forme!

ZIME, *sort un papier* — Euh... puisqu'il est question de santé.. je ne saurais laisser fuir une si belle occasion de vous lire une poésie de ma manière qui invite certaines personnes à employer certaines recettes de longévité. (*Se râcle la gorge.*)

> De notre corps, la mince et frêle écorce
> Respire aussi; et, pour rester en force,
> La chair, comme elle, exige un stimulant.
> Matin et soir tu devras, le sachant,
> Faire jouer à bel entrain sur elle
> Brosse de crin ou toute autre pareille.
> Appuyant fort, comprimant sur les os,
> Chair et tissus sans peur d'appuyer trop.
> N'oublie jamais cette friction-massage,
> Renfort de la vie dans le déclin de l'âge!

CASTOR — Boîte à bouette que c'est ben envoyé!

PICA — Buvons à la friction-massage, cul!

TOUS — À la friction-massage!

> *Soudain on entend une musique très douce. Tout le monde s'arrête et cherche. Puis, par le haut-parleur, arrive la voix chaude de Fine.*

FINE — Messieurs, vous n'êtes en ce moment ni au ciel ni sur la terre. Vous êtes dans le lieu étrange de vos désirs les plus secrets, les plus inavoués. C'est un lieu totalement inattendu, parfois inespéré, oublié par la plupart car il semble à plusieurs que l'âme des gens âgés soit une sorte de tissu blanc, usé par les années et tout prêt à être rangé pour toujours dans les armoires closes.

PICA — Castor, ça y est, je passe!

ZIME — C'est mademoiselle Fine.

FINE — Je suis la femme inconnue. Je suis celle qui a vécu dans la compagnie des hommes âgés et qui connaît toute la démesure de leurs sentiments, qui sait toute la chaleur qui vibre dans leur poitrine. Je suis la femme qui croit que le besoin d'aimer ne s'éteint pas avec les années, que les arbres les plus gros ont les fruits les plus doux, que le soleil déclinant a des feux plus enveloppants que le milieu du jour.

ZIME — Quelle classe!

CASTOR — Elle, l'affaire, elle l'a!

FINE — Ces lieux, d'ordinaire si paisibles, sont rarement le théâtre de semblables débordements. L'homme qui vit dans cette maison n'assiste qu'exceptionnellement au spectacle visuel de ses émois cachés. C'est par générosité, par amour, par solidarité humaine que je vous offre, messieurs, la preuve sensible qu'il se trouve encore dans ce monde des personnes capables de voir ce qui vit en vous.

*L'éclairage diminue. La musique devient langoureuse. Fine apparaît et monte sur le coffre de Zime pour danser. Elle improvise une sorte de strip-tease.*

PICA, *après un moment de surprise et de plaisir* —
Moé, Castor, y a quelque chose qui me chicotte.
C'est trop beau pour nous autres. On n'a rien
fait pour mériter ça.

CASTOR — Ta boîte! C'est le centième de ce que
les millionnaires s'envoient derrière les lunettes!
On n'est pas n'importe qui!

GAGOUETTE, *à Castor* — Elle est belle, n'est-ce
pas?

CASTOR — J'ai la vue toute en soleil!

PICA — Ça bat la grande comète!

CASTOR — À genoux! Le bon Dieu passe!

ZIME — Incroyable.

CASTOR — Un homme qui a vu ça peut plus com-
munier sous d'autres espèces, c'est impossible!

PICA — C'est pas possible qu'on soye aimés de
même! On n'a rien fait de spécial dans notre vie
pour mériter tous ces égards. (*À Blanche.*)
Allez-vous me croire si je vous dis qu'en 32 ans
de mariage Mathilda a jamais ôté son p'tit linge
devant moé!

CASTOR — Lui as-tu demandé, Pica?

PICA — C'est des choses qui se demandent pas.
C'est comme les cadeaux. (*Il pleure sur
l'épaule de madame Blanche.*)

BLANCHE — Monsieur Paquette, profitez donc
de ce qui vous arrive.

PICA, *pitoyable* — Appelez-moé Roméo, ok?

BLANCHE — Mais oui, Roméo, consolez-vous,
voyons!

ZIME — Elle est belle comme une fourrure de be-
lette, belle comme un bijou de la Nuit... (*Aux
autres.*) C'est le nom d'un papillon...

*Fine a fini de danser.*

CASTOR — Je viens de comprendre ce que c'est une animatrice sociale.

FINE — Messieurs, si je me suis offerte à vous en images aussi généreuses, en images communément interdites, c'est que je vous porte dans mon cœur. J'ai dansé à vos désirs inextinguibles. Je boirai maintenant à votre santé que je souhaite durable et forte. Heureux anniversaire, monsieur Castor!

CASTOR, *interdit* — Ah ben morgueux! Là, je me suis fait avoir!

TOUS — Heureux anniversaire!

*Zime va aider Fine à descendre. Elle l'embrasse.*

ZIME, *en lui offrant un verre* — Il y a la Nymphe des Bois aussi qui est un papillon magnifique. Il faudra que je vous montre sa photo un jour...

FINE, *allant embrasser Castor* — Bonne fête, monsieur Castor...

CASTOR, *qui commence à caracoler* — En tant que boss de la Quebec Beaver Mining, je propose... de lever un verre de champagne à mademoiselle Fine... qui s'est montrée avec nous autres...

PICA — ...ben fine!

FINE — Et moi, je bois au Soir Vert, aux Îles, au sable fin, à la mer bleue, aux grands voyages!

ZIME — Est-ce à dire que vous nous quittez?

FINE — Oh, je ne pars pas pour très longtemps. Juste un petit séjour au soleil!

BLANCHE — Mademoiselle Fine va en vacances... dans le Sud.

PICA — Vous allez en Haïtiti, je gagerais!

FINE — Non, pas exactement. Je vais dans les Îles Vierges. C'est dans les Antilles.

PICA — Ah!... En tous cas, ça doit pas être loin d'Haïtiti!

BLANCHE — Mademoiselle Marcoux a beaucoup travaillé ces derniers temps, vous vous en êtes sûrement rendus compte. Elle a droit de fuir pour un moment ses préoccupations.

CASTOR, *qui commence à avoir le nez piqué* — Rien de plus vrai! Une personne qui a ben trimé mérite des vacances. Savez-vous que j'ai jamais pris une maudite journée de vacances, moé? J'ai passé 70 ans de ma vie à gabotter d'un bord pis de l'autre. Je pense que le moment est venu de faire prendre l'air à notre portefeuille. Es-tu déjà allé en aéroplane, toé, Pica?

PICA — Euh... non. Pis toé, tu vas nous dire que t'as passé ta vie dans les airs?

CASTOR — Manquablement! Un creuseur, ça passe quasiment la moitié de sa vie dans les aéroplanes. Pis les millionnaires donc!

PICA — Castor, si...

CASTOR — Si quoi...?

PICA — Madame Blanche, si on...?

GAGOUETTE — Oh oui, si on...?

ZIME — Je vous préviens. Nous ne sommes plus à l'âge d'effectuer de longs trajets. Je le répète: tour de force, tour de fou.

FINE — Au contraire, monsieur Onésime, les voyages regaillardissent, reposent, reconstituent.

*Les femmes se lancent un œil victorieux.*

CASTOR — Je te reconnais plus, Zime. Tu vas laisser partir toute seule dans les Îles Vierges une jeune personne bien élevée comme mademoiselle Fine? Les Iles Vierges... ça a un p'tit air pincé, mais je sens que ça cache quelque chose de pas chrétien!

GAGOUETTE, *friponne* — On sait que ces endroits sont fréquentés par des messieurs louches qui tendent des pièges aux femmes seules.

ZIME — Vous croyez?

FINE — C'est ce qu'on m'a dit, mais...

ZIME — Qu'est-ce qu'on va faire avec Petit Soleil? À son âge, il ne peut plus être transporté. Mais j'aimerais beaucoup lui donner cette joie de retrouver son ciel natal.

GAGOUETTE, *se dirige vers la cage et la découvre* — Si Gagouette en prend soin, il n'y aura pas de problème... Oh, monsieur Zime, venez voir...

ZIME, *s'approche de la cage, regarde. Il garde silence un moment* — Mon Dieu! Petit Soleil s'est éteint.

*Noir.*

## ONZIÈME TABLEAU

*Castor est en train de s'habiller au milieu de la pièce. Ses valises sont prêtes. Il marche nerveusement. Va vers la chambre.*

CASTOR — Patine-toé, Pica! Les aéroplanes, c'est à l'heure comme le canon de la Citadelle!

PICA, *se montre la tête dans la porte* — J'apporte mon portrait... pour Aline.

CASTOR — Je te le décroche.

*Castor le décroche et l'échappe. La vitre casse.*

CASTOR — Saint-Épais! Un mauvais présage asteure!

PICA, *apparaît, vêtu et portant sa valise* — Qu'est-ce qui se passe?

CASTOR, *encore saisi* — Tes trente ans sont sur le plancher! Pis c'est de ma faute! Bon. On a pas le temps de s'émotionner. Arrive.

PICA, *regarde son portrait par terre* — Maudit cul, Castor, donne-moé une chance!

CASTOR, *prenant la valise de Pica* — Donne.

*Ils sortent. En refermant la porte, c'est le cadre de Castor qui dégringole. Ils se retournent tous les deux.*

CASTOR — Ouais! Ça a ben l'air que notre jeunesse vient de prendre une maudite carpiche!

PICA, *contemplant tristement le spectacle* —
L'avenir qui nous reste, viens-t'en qu'on aille
lui négocier quelques belles années à la chaleur.
CASTOR — Viens, mon Pica.

*Noir.*

# QUATRIÈME PARTIE

*La chose la plus douce*

## DOUZIÈME TABLEAU

*Ce tableau prolonge le deuxième de la première partie. Les personnages sont dans la même position qu'à la fin de ce tableau. Pica est déjà sorti avec Camard. Blanche est étendue dans sa chaise de plage et dort. Zime et Castor se tiennent debout à l'avant-scène et regardent vers la mer. Le soleil a commencé à descendre.*

ZIME — Regarde! Mademoiselle Fine revient toute seule!

CASTOR, *pâlissant* — Gagouette, elle? Morgueux! Elle prend le bord de guesse! (*Les mains en porte-voix.*) Hé! Gagouette! Reviens donc, mon p'tit chaton! La nuitte va tomber.

*Fine apparaît avec une grande serviette de bain sur les épaules. Elle frissonne.*

FINE — Merveilleux! Ce n'est pas encore le bain de minuit, mais l'eau est juste assez froide pour fouetter les sens. Monsieur Onésime, voulez-vous me frictionner le dos... vous, le grand spécialiste !

ZIME, *timide* — Vraiment ? (*Il frotte avec la serviette.*)

FINE — Frottez fort.

ZIME, *appuyant* — Comme ça ?

FINE — C'est bon. Ça réchauffe.

CASTOR — On a encore de l'huile dans les veines, hein, mademoiselle Fine ? Donne-z-y, mon Zime. Comme tu faisais dans ta boutique avec le papier sablé. (*Il regarde vers la mer. Puis, après un moment de réflexion.*) Il sera pas dit qu'un Canayen français de Québec va laisser une p'tite créature toute seule avec les requins ! La nage, ça se désapprend pas. (*Il commence à se déshabiller, se regarde.*) Morgueux, j'suis blanc comme un ventre de truite !

FINE, *entraînant Zime* — Venez !

ZIME — Où donc ?

FINE — Venez !

ZIME, *il y va, se retournant* — Tu vas pas te lancer dans la mer, Castor ?

CASTOR — Manquable ! Penses-tu que je connais pas l'eau, moé ? J'ai passé ma vie là-dedans !

FINE, *tirant Zime par la main* — Venez donc !

ZIME — Mouille-toi jusqu'aux genoux si tu veux, mais ne plonge pas, voyons !

*Fine sort avec Zime.*

CASTOR — Hé ! Gagouette ! Attends-moé ! Je plonge.

*Pendant que Castor se déshabille, Camard s'approche et commence lui-même à se dévê-*

*tir. Il n'est plus qu'en maillot blanc. Il abor-*
*de Castor. Leurs voix, à partir de ce moment,*
*sont retransmises par le haut-parleur, dans*
*une tonalité étrange.*

CAMARD — Viens, Adjutor. C'est la chose la plus douce du monde.

CASTOR, *il le regarde, surpris. Mais peu à peu on lit sur son visage tristesse et résignation* — Ah ben, morgueux!

CAMARD — Tu me reconnais, maintenant?

CASTOR — Y a vraiment pas moyen de remettre ça à demain? Je vais faire un marché avec vous...

CAMARD, *il lui entoure doucement les épaules de son bras* — C'est la chose la plus douce du monde, viens!

CASTOR — J'ai même pas eu le temps de me faire ramoner la conscience. J'suis noir de fautes!

CAMARD — L'amour, quel qu'il soit, ne peut être une faute. Viens, Adjutor.

CASTOR — Gagouette, Oh, Gagouette, mon p'tit chat. Monsieur Castor s'en vient. Monsieur Castor va rentrer sou l'eau pis il va aller te pincer les orteils. Il aurait ben fini ses années attaché à ton pied, monsieur Castor. Tu le savais pas, hein? Et pis surtout, fais attention aux requins, mon p'tit chaton. Oh, ma chère enfant...

*Il descend vers la mer avec Camard.*

*Noir.*

121

## TREIZIÈME TABLEAU

*Le soleil baisse toujours. L'air est coloré de rose et d'orange. Blanche est toujours étendue dans sa chaise de plage. Gagouette entre en scène, venant de la mer. Grelottante, elle s'entoure les épaules d'une grande serviette rouge et se laisse tomber assise sur le sable. Elle regarde la mer en pleurant.*

GAGOUETTE — J'étais en train de nager. Tout à coup, je le vois qui se jette dans les vagues de tout son long comme si quelqu'un l'avait poussé par derrière. Il tend la main. Je m'approche, je le cherche, je lui crie, il disparaît, je lui crie, il disparaît...

*Côté jardin, apparaît Castor tout vêtu de blanc. Il s'avance d'une démarche de jeune homme. Il va s'approcher de Gagouette quand surgit Pica du fond de la scène. Il porte le même vêtement que Castor et il a la même allure jeune. Jusqu'à la fin de la pièce, les paroles de Castor et de Pica seront retransmises par le haut-parleur. Gagouette ne peut les entendre.*

PICA — Eh ben, mon Castor, où tu vas?
CASTOR — Pica Paquette, mon snoraud!
PICA — Dis-moé pas que t'as passé, toé itou?
CASTOR — On se lâchera donc jamais?
PICA — J'sais pas où aller pantoute, moé.

CASTOR — Zime va nous manquer, c'est pas creyable.

GAGOUETTE, *se parlant en sanglotant* — Mais oui, je sais, il faudra t'y habituer, Gagouette. Ça sera dur: t'as le cœur fait pour aimer tout le monde tout de suite. Mais c'est ton métier que d'être passeuse de veufs. Un merveilleux travail qui laisse parfois des coupures dans le senti-ment. Il faudra te faire à ces amours les plus secrètes du monde et qui finissent quand elles commencent à peine.

PICA — C'est-y possible qu'on ait été aimés sans s'en apercevoir?

CASTOR, *regardant Gagouette tendrement* — Pauvre petit chat, va!

PICA — On peut rien faire pour elle. Elle peut même pas nous entendre.

GAGOUETTE — Ah que j'ai froid, maman, tout à coup!

PICA — Qu'est-ce qu'on fait asteure? Est-ce qu'il faut aller retrouver nos défuntes femmes? (*Cette perspective ne lui sourit pas du tout.*)

CASTOR — Es-tu viré barzaque? Les morts m'in-téressent pas pantoute, moé!

PICA — Qu'est-ce qu'on fait, Castor?

CASTOR — Ben... j'imagine qu'on reste là... qu'est-ce que tu veux qu'on fasse? On reste accrochés à ceux qui nous aiment encore, saint-Épais!

PICA, *se retournant, craintif* — Sacre pas! Saint-Épais est peut-être dans les parages!

CASTOR — J'imagine qu'on devient les gardiens de ceux qui se souviennent de nous autres.

PICA — On est peut-être rendus dans la chose la

plus douce du monde, mais, à la longue, ça doit devenir tannant en bourzaille!

CASTOR — Pica!

PICA — Oui, Castor...

CASTOR — Faut absolument trouver un moyen de retourner de l'autre côté!

PICA — Où ça?

CASTOR, *montrant Gagouette* — Là! Dans la vraie vie! Dans le vrai monde!

GAGOUETTE — Il fait froid quand on sait qu'une bouche d'enfant ne se posera jamais sur son sein. Mais il fera chaud quand je reviendrai au Soir Vert. Aurais-tu découvert, Gagouette, une nouvelle manière d'être amoureuse?

PICA — Il va peut-être falloir expier notre vol?

CASTOR — Il y rien à réparer, Pica. Tu connais mal Castor Morin. Y a pas eu de vol, voyons!

PICA — Mais! La fausse mine qu'on a vendue à Zario!

CASTOR — À Zario, j'ai vendu le terrain de St-Vallier. Les pépites, je les ai données à madame Blanche...

PICA — Tu nous a joué un maudit tour!

CASTOR — C'est pour toé que j'ai fait ça, Pica. Je savais qu'il t'en restait pas long. Je voulais que tu meures millionnaire.

PICA — Pourquoi t'as fait ça?

CASTOR — Saint-Épais! Parce que t'es mon ami! Viens, Pica. On va aller se creuser une mine qui nous mènera peut-être dans la vraie vie.

PICA — Cette fois-là, j'vas creuser jusqu'au bout, Castor.

CASTOR — T'auras pas peur de te faire mourir à travailler, hein?

PICA — On va se faire vivre à travailler, bourzaille !

CASTOR — Viens, Pica ! (*Ils se dirigent, enlacés,
vers le fond de la scène.*)

PICA — Dans un ventre de femme, quand le p'tit
bébé commence à se déplier, il doit ben y avoir
un moment où on peut passer dans son p'tit
corps...

CASTOR — On va aller virailler autour des chambres où y a un homme pis une femme collés
ensemble...

PICA — Maudit Morin ! Tu changeras donc jamais !

CASTOR, *à Gagouette* — Attends-nous, mon p'tit
parfum, on va r'venir !

PICA — Aimez-les bien, madame Blanche, vos
p'tits bébés de 70 ans.

GAGOUETTE, *elle crie* — Madame Blanche !
(*Blanche se lève.*) Regardez le Soleil ! On dirait
qu'il va plonger au bout de la mer pour la dernière fois. Et ces grands oiseaux roses qui lui
entrent dans le cœur en criant !

FIN

# TABLE

## DANS LA MÊME COLLECTION

ACHEVÉ D'IMPRIMER SUR
LES PRESSES DES ATELIERS
MARQUIS DE MONTMAGNY
LE 10 DÉCEMBRE 1976 POUR
LES ÉDITIONS LEMÉAC INC.